Rüdiger Schlömer

PIXEL, PATCH UND PATTERN

TYPEKNITTING

Für I, K, N und L

Inhalt

IV. PATCH

V. MODUL

VI. OBJEKTVORLAGEN

VII. GRAFIKRESSOURCEN

Von Pixeln und Maschen

In der digitalisierten Gestaltung von und mit Schrift sind die neuen Tools und Programme kaum noch wegzudenken. Sie zu bedienen – oder gleich selbst zu entwickeln – ist zur Grundlage eines neuen, digitalen Handwerks geworden. Wer diese Praxis auch physisch begreifen möchte, dem ermöglicht Stricken als analoge Programmierung, Pixel in Maschen zu übersetzen.

Buchstabenstricken bietet der digitalen Typografie eine Form der Materialisierung, die im Gegensatz zum *Rapid Prototyping* eine persönliche Unschärfe behält. Digitale typografische Praxis lässt sich dabei um etliche Aspekte erweitern: Textur, Haptik, Wärme, Tragbarkeit, nicht zuletzt Geselligkeit.

Wer Buchstaben oder Worte strickt, der erlebt einen entschleunigten Gestaltungsprozess, wie ihn Steinmetze oder Intarsienleger kennen. Buchstabenstricken ist typografische Meditation. Das textile Handwerk bietet eine Art *Digital Detox*, jedoch eine, die sich digitaler Technik nicht verweigert, sondern sich ihr als praktische Reflektionsfläche anbietet. Und die ganz nebenbei die lateinische Herkunft des Wortes »digital« sichtbar macht: *digitus* – Finger.

TEXTILES SCHREIBEN

Die Verbindung von Stricken und Schrift ist zunächst vor allem eins: Denksport. Buchstabenstricken erfordert ein ständiges Übersetzen zwischen physischem Strickprozess und visuellem Ergebnis. Fadenlauf und Buchstabenbild müssen verschieden gedacht werden. Gestrickt wird gegen die Leserichtung: von rechts nach links und von unten nach oben. Maschen haben keine quadratische Grundform und passen nicht genau ins Gestaltungsraster von Pixelschriften. Zu enge Spannfäden können eine Arbeit dadurch sabotieren, dass sie das gestrickte Ergebnis zusammenziehen.

Diese Eigenheiten können ein Hindernis sein, wenn Buchstaben einfach nur eins zu eins nachgestrickt werden sollen. Erkundet man den Spielraum des Buchstabenstrickens jedoch aus der Logik des Handwerks heraus, entdeckt man spannende visuelle Möglichkeiten, die einem beim Gestalten am Computer wohl kaum in den Sinn kämen.

Buchstabenstricken vereint die Eigenheiten von Programmierung und Kalligrafie: einerseits technisch, logisch und präzise, andererseits unscharf, fließend und organisch. Ein eleganter Fadenlauf ist, wie ein gelungener Pinselschwung, das Ergebnis vielfacher Übung, in der die Bewegungen verinnerlicht wurden. Dass Strickvorlagen eher maschinell wirken und an Pixelgrafik erinnern, ist wiederum auch kein Zufall. Das Strickmuster ist ein visueller Code, der die Variablen rechte und linke Maschen in Form bringt. Die Chiffren dieser Kryptografie sind universell enkodierbar und weltweit auch ohne Sprachkenntnisse anwendbar.

»DIGITANALOGES« GEWEBE

Schrift und Textil schauen auf viele gemeinsame Vorformen zurück, zum Beispiel in Form von gewebten Wandteppichen und Intarsienstickereien. Immer wieder war der Faden das Medium, um Texte und Bilder in aufwendigen Prozessen festzuhalten und damit Ihre Bedeutung zu würdigen. Selbst beim heutigen popkulturellen Pendant, dem Fanschal, ist dies in den Grundzügen noch der Fall.

Beide Bereiche haben sich immer wieder den Arbeits- und Vervielfältigungstechniken ihrer Zeit angepasst. Typografische Bezeichnungen wie *Tropfen, Foundry* oder *Schriftschnitt* erinnern noch heute als prä-digitale Wortartefakte an die schrittweise Transformation von der kalligrafischen Handkopie zum Holzdruck, zum Bleisatz, zum digitalen Webfont ... und vielen weiteren Zwischenstufen. Auch in der Textilproduktion haben die Automatisierung und später Digitalisierung tiefgreifende Spuren hinterlassen, wurden aber auch entscheidend mitgeprägt: Die Lochkarten der ersten mechanischen Webstühle ab ca. 1805 gelten als Vorform digitaler Codierung, die den Beginn der ersten industriellen Revolution markierten. Löcher – als analoges Pendant zu Bytes – wurden zum Quellcode der Gewebeproduktion.

Am Maschenbild der grundlegenden Handstricktechniken hat sich indes wenig verändert. Noch immer sind es linke und rechte Maschen, die den Faden in seiner Form organisieren. Und immer schon war Stricken in seinen Grundzügen ein binäres (digitales) System zur manuellen Programmierung von Garn.

Einen QR-Code mit Link auf Ihren Instagram-Account, Ihre Website oder andere Texte erhalten Sie auf *www.goqr.me/de*. Für eine großformatige Decke stricken Sie die Pixel als Patches [→ S. 127].

STRICKZIRKEL 2.0

Als textile Praxis hat sich Stricken heute längst mit den digitalen Kommunikationssträngen und sozialen Netzen verbunden. Wer Stricken lernen will, findet Tutorials auf YouTube und Pinterest, auf privaten Blogs oder sozialen Plattformen. Die physischen und virtuellen Fäden scheinen sich anzuziehen.

Da aber auch ein rein digitaler Zugang letztendlich physisches Material benötigt und einige Tricks persönlich besser erklärt werden, führen die digitalen Exkursionen auch immer wieder zu realen Personen und Orten. Stricken ist (und war schon immer) vom persönlichen Austausch geprägt. Wollgeschäfte werden so zu *Creative Hubs*, Großmütter zu *Technical Consultants*, private Strickzirkel zur Austauschplattform für methodisches *Know-how*.

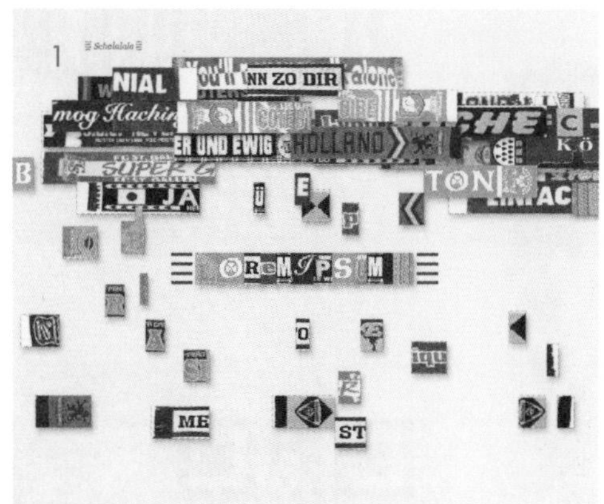

STRICKEN ALS EXKURS

Manuelles Stricken ist nicht von jetzt auf gleich gelernt. Wie die Entwicklung eines Kochrepertoires braucht es Zeit, Übung und Austausch. Auch dieses Buch ist aus verschiedenen Projekten hervorgegangen.

Im Fanschal-Remix-Projekt *Schalalala!* wurden anlässlich der Fußball-WM 2006 Fanschal-Originale digital remixt. Als Vorlagen dienten verpixelte Fanschals von privaten Sammlerwebsites, eBay oder aus offiziellen Vereinsshops. Der zeitbezogene Anlass der WM ging vorbei, das Projekt jedoch weiter. In verschiedenen Strickzirkeln wurden einige der entstandenen Remixe nachgestrickt und das Strickrepertoire Stück für Stück erweitert [1, 3].

Mit dem *Jönköping Letter Archive* entstand anschließend ein umfangreiches Onlinearchiv von Buchstaben-Strickvorlagen [2, S.11]. Diese wurden in einer Art »Crowdknitting-Experiment« von physischen und virtuellen Besuchern der Ausstellung *Craftwerk* 2.0, 2009 im schwedischen Jönköping umgesetzt und in der Reihenfolge ihres Eintreffens zusammengestrickt [5]. Der so entstandene Zufallstext wurde um etliche persönliche Strickweisen bereichert.

The gnittinK Room [4], ein para-digitaler Workshopraum in der Ausstellung *Neue Masche,* 2011 im Museum Bellerive Zürich, nahm die Fäden dann losgelöst vom Fanschal wieder auf. Der darin durchgeführte Workshop *Knit & Type* legte den methodischen Grundstein für eine systematische Aufbereitung des Themas.

Essenziell waren dabei immer die mit den Projekten verbundenen Begegnungen, wie die mit Horst Schulz, Entwickler des Patchworkstrickens, dessen modulares *Mashup* von Stricktechniken den Ansporn zum Strickenlernen und den methodischen Anstoß für die letzten zwei Kapitel gab. Genauso und zeitgleich der *Conceptual Knitting Circle*, in dem in Berlin, Kyoto und Zürich etliche Mitwirkende die praktisch-handwerkliche Ebene um viele angrenzende Themen erweiterten.

Stricken ist – das werden Sie mit der Benutzung dieses Buchs erfahren – ein extrem kommunikatives und kommunikationsstiftendes Medium. Dies gilt sowohl für den Prozess des Lernens und Machens – Tipps finden Sie überall – als auch für die spätere Verwendung der Ergebnisse. Wer freut sich nicht über ein gestricktes Initial? Und was für Botschaften ließen sich noch auf diese Weise an so manche gut exponierte Stelle schleusen?

Für Ihre individuelle Aneignung und Fortsetzung dieser textilen Alphabetisierung bietet sich dieses Buch nun als offene Methodensammlung und Wegbegleiter an. Bewusst reduziert auf die speziellen Anforderungen des Themas gibt es Anstoß für viele weitere Umsetzungen, in denen sich Pixel und Maschen, Stricken und Schrift zu einer eigenständigen Mischdisziplin verbinden – *Typeknitting!*

Rüdiger Schlömer, Zürich 2018

Typeknitting: Stricken für Typografen

Gestalter nähern sich dem Stricken mit anderen Zielvorstellungen als Hobbystricker. Sie suchen keine Sockenmuster und Patchworkdecken, sondern grafisch interessante Strukturen und Effekte, die das Handwerk als Mustergenerator nutzen. Sie wollen neu interpretieren und zu überraschenden visuellen und strukturellen Ergebnissen kommen.

Anfangs ist es jedoch hilfreich, sich zunächst mit dem Handwerk vertraut zu machen, seine Spielräume und Begrenzungen kennenzulernen und dann daraus eine eigene Herangehensweise abzuleiten.

INSPIRATION UND INPUT

Stricken lässt sich nicht linear und vollständig darstellen, der Lernprozess ist ein *Trial and Error* und wird von persönlichen Begegnungen bereichert. Wollgeschäfte sind nach wie vor Treffpunkte für Strickprofis und eine Chance, wertvolle Tipps und Materialwissen zu erhalten. (Viele haben nebenbei auch einen Strickpool, bei dem Sie eigene oder modifizierte Strickvorlagen in Auftrag geben können.)

In vielen Wollgeschäften gibt es regelmäßige Strickzirkel, deren Besuch sich lohnt. Dort erhalten Sie Einblick in verschiedenste Techniken, können sich einige Tricks abholen, das Material ausprobieren und finden vielleicht Inspirationen für eigene Strickprojekte. Selbst wenn Sie Babydecken und Mützen gerade nicht interessieren, schlummert hinter vielen Dingen so manche originelle Technik, deren Potenzial fürs Buchstabenstricken es noch zu entdecken gilt (… als Übungsobjekte mit geringem Zeit- und Materialaufwand eignen sie sich ohnehin). Oder Sie initiieren Ihren eigenen Strickzirkel, ein ebenso kommunikativer wie motivierender Rahmen für Austausch und gemeinsames Vorankommen.

Zum Vertiefen der eigenen Technik finden Sie zahlreiche Video-Tutorials auf YouTube und persönlichen Websites. Auf *Ravelry.com*, dem bekanntesten sozialen Netzwerk für Stricken und Häkeln, erhalten Sie eine Vielzahl zum Teil kostenloser Vorlagen und Muster, persönliche Projektseiten sowie thematische Gruppen, in denen eigene Arbeiten und Strickmuster vorgestellt werden. Seit seiner Gründung im Jahr 2007 hat *Ravelry* mit aktuell mehr als 7,6 Millionen Mitgliedern die Strickindustrie revolutioniert und ist als Austauschort für Designer, Garnproduzenten und Stricker+innen nicht mehr wegzudenken.

1
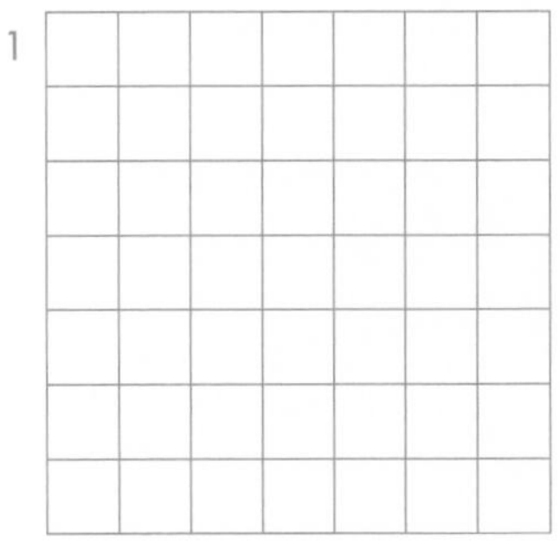

2
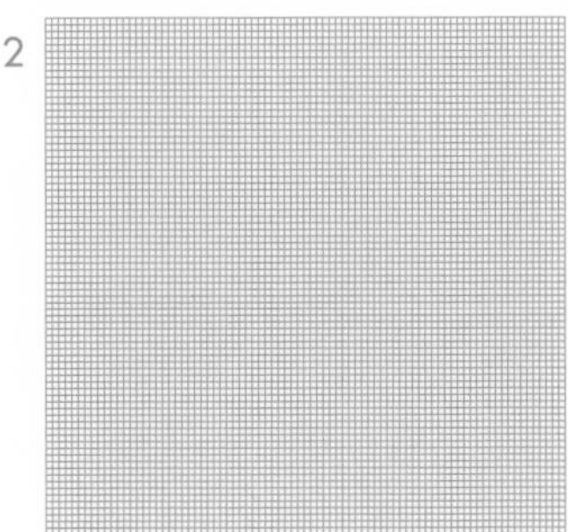

[1] Buchstabenraster für *Print Char 21* (1977), Systemschrift *Apple][* [→ S. 188]

[2] Maschenraster für das *Illusion Love Cushion* (2016), gestrickt mit *Illusion Knitting*, Steve Plummer auf Ravelry [→ S. 213]

MATERIAL UND WERKZEUG

Zahlreiche Faktoren definieren Ihr gestricktes Ergebnis. Schon das Hauptwerkzeug, die Stricknadel, erhalten Sie in vielen Sorten: Metall-, Kunststoff- oder Bambusnadeln, normale und Rundstricknadeln. Je nachdem, welches Garn Sie verwenden, ob Ihnen das Strickzeug sicher in der Hand liegt oder oft entgleitet, ob Ihre Hände leicht schwitzen und eine leichte Reibung am Material hilfreich ist, kann die eine oder andere Nadel für Sie optimal sein. Einige Garne lassen sich nur mit Holznadeln gut stricken, andere mit Metall. Je nach persönlicher Strickweise sind bestimmte Werkzeuge mehr oder weniger hilfreich. Am Anfang genügen einige wenige Instrumente.

Schauen Sie beim Wollkauf nach gestrickten Probestücken, um ein Gefühl für das Maschenbild, Größe und Struktur des gestrickten Garns zu erhalten. Mehrfarbige Garne, die als Knäuel interessant wirken, können in der Strickoberfläche sehr unruhig werden. Ein scheinbar langweiliges Garn wiederum kann gestrickt genau den richtigen Rhythmus erhalten.

1 *Rundstricknadeln* eignen sich besonders für patchbasiertes Stricken sowie für einfache Intarsien. Die Drahtlänge sollte mindestens 40 cm betragen.

2 *Häkelnadeln* können Ihnen helfen, verlorene Maschen wieder aufzufangen oder Zierlinien aufzubringen.

3 Mit *Knüpfhaken* können Sie nachträglich Zierlinien aufbringen oder Einzelteile eines Pullovers testweise aneinanderfügen.

4 *Bambusnadeln* eignen sich für mittelgroße maschen- oder patternbasierte Teile und sind gerade am Anfang etwas handlicher.

5 Am *Zählrahmen* können Sie das Verhältnis von Maschen und Reihen Ihrer Maschenprobe (auf 10 × 10 cm) ablesen und daraufhin Ihre Strickvorlage anpassen. Zudem können Sie Ihre Nadelstärke messen.

6 Mit *Büroklammern* lassen sich einfache Markierungen setzen, die Ihnen die Übersicht erleichtern.

7 Um beim Abreißen von Fäden keine Maschen zusammenzuziehen, verwenden Sie eine *Handarbeitsschere*.

8 Fertige Teile können Sie mit rostfreien *Stecknadeln* locker aufspannen und mit einem feuchten Tuch überdecken. So zieht sich die Form zurecht.

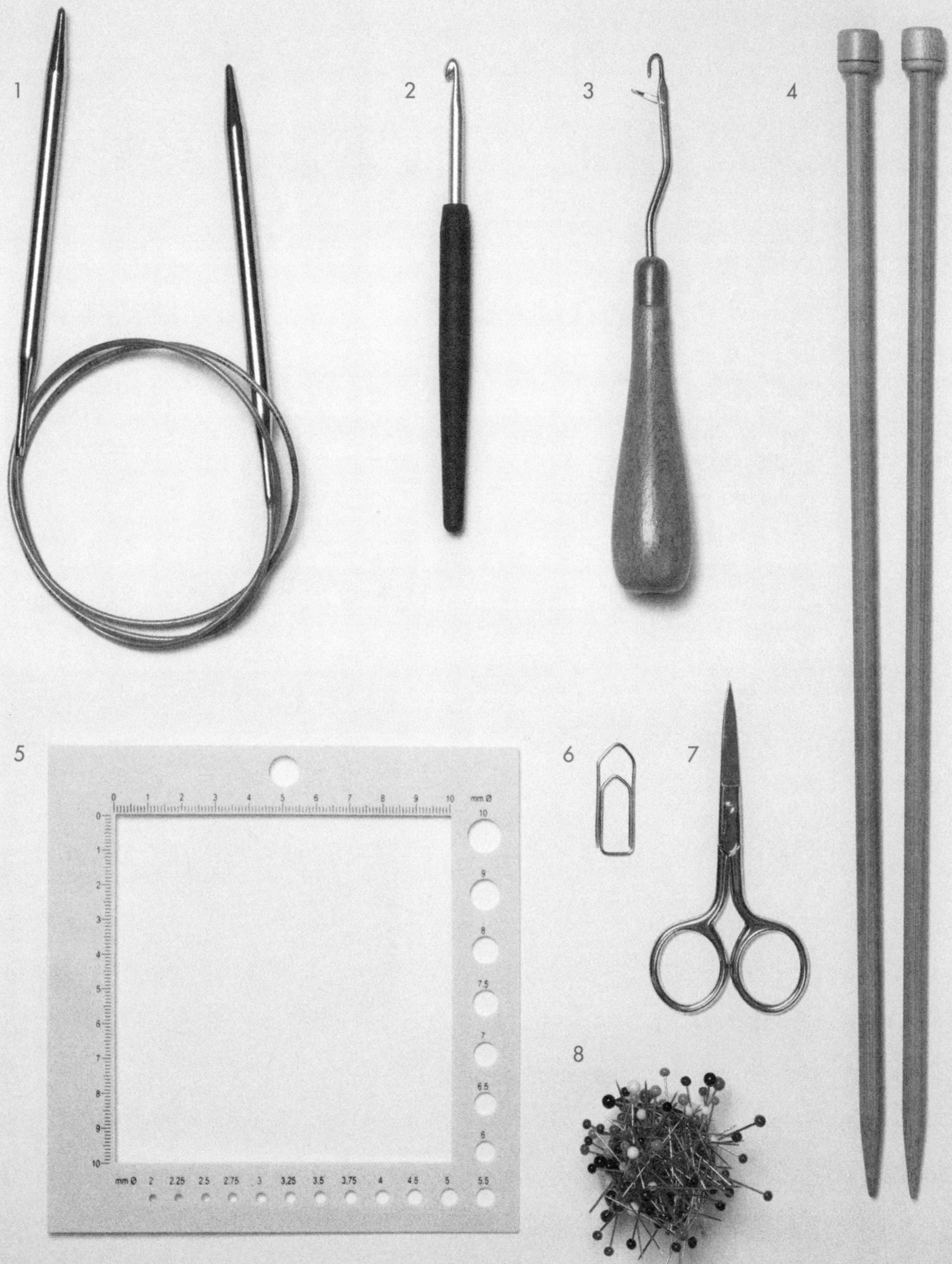
1
2
3
4
5
6
7
8
0 1 2 3 4 5 6 7 8 9 10 mm Ø
10
9
8
7.5
7
6.5
6
mm Ø 2 2.25 2.5 2.75 3 3.25 3.5 3.75 4 4.5 5 5.5

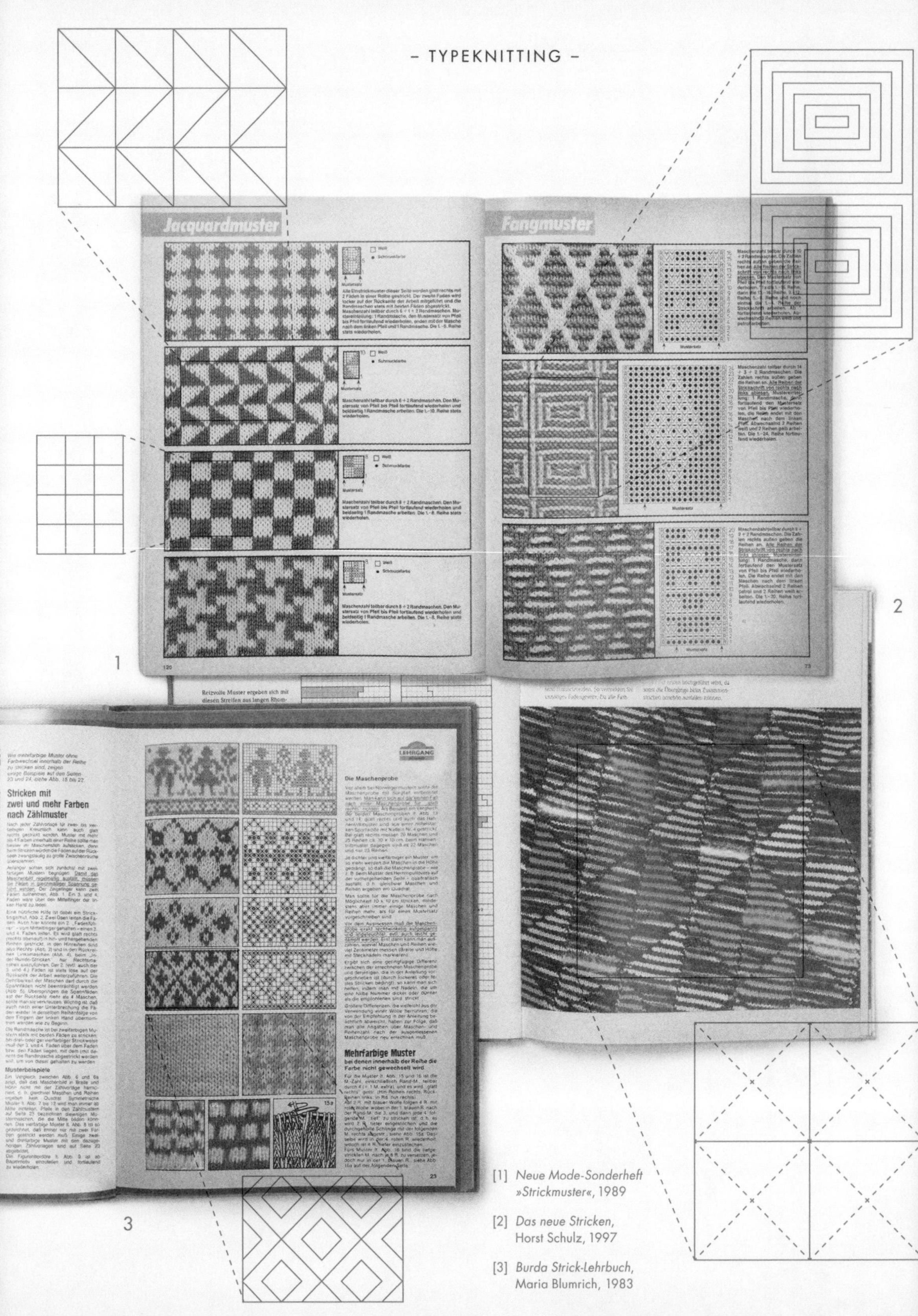

[1] *Neue Mode-Sonderheft »Strickmuster«*, 1989

[2] *Das neue Stricken*, Horst Schulz, 1997

[3] *Burda Strick-Lehrbuch*, Maria Blumrich, 1983

METHODEN UND FORMATIERUNG

Beim analogen und digitalen Gestalten werden gestalterische Prozesse stets auch durch die verwendeten Techniken geprägt. Entwurfsmethoden, Werkzeuge und Produktionstechniken schreiben sich implizit in die Ergebnisse ein. Einige Tools, Funktionen und Programme lassen sich dabei eindeutig wiedererkennen, wie bestimmte Bildfilter oder der *Autotune*-Effekt in Musikproduktionen.

Beim Buchstabenstricken erleben Sie diese Formatierung auf ganz praktischer Ebene. Anders als beim Sticken, wo Sie den Faden frei auf dem Stoff aufbringen, erstellen Sie beim Stricken zeitgleich die Trägerstruktur und die visuelle Oberfläche. Die verwendeten Stricktechniken mit ihren strukturellen Eigenheiten prägen Ihren visuellen Gestaltungsspielraum auf unterschiedliche Weise. Gleichzeitig bieten sie Ihnen damit Charakteristika, die Sie für Ihre Projekte bewusst nutzen können.

Trotz seiner wenigen Grundelemente ermöglicht Ihnen das Stricken dabei ein hohes Variationspotenzial. Das zeigen die zahlreichen folkloristischen Ausprägungen wie Norwegermuster, das zopflastige Wikingermuster oder die hochkomplexen Musterblätter für Spitzen-Strickerei von Christine Duchrow aus den 1920er-Jahren. Alte Strickmusterbücher mit typografischem Blick durchzuschauen kann so manche Inspiration für Raster- und Musterstrukturen hervorbringen. Diese können Sie gleich mit bestehenden Schriften abgleichen oder als Entwurfsgrundlage nehmen.

WIE SIE MIT DEM TYPEKNITTING BEGINNEN

Die vier Hauptkapitel dieses Buchs definieren sich durch ihre Grundelemente – *Pixel, Pattern, Patch* und *Modul,* durch die dazugehörigen Stricktechniken und so durch die impliziten Konstruktionsregeln. Die Beispiele sind von klein nach groß und von einfach nach fortgeschritten angelegt. Diese Grundtechniken zeigen bewusst nur einen Ausschnitt aus der Vielzahl der Stricktechniken, die Sie ganz einfach kombinieren und erweitern können.

Wählen Sie Ihren Einstieg ins *Typeknitting* abhängig von Ihrer bisherigen Strickerfahrung. Mit keiner bis wenig Vorübung ist das Kapitel PIXEL ein guter Anfang. Fallen Ihnen linke und rechte Maschen sowie einfache Intarsien leicht, sind die Hebemaschen im Kapitel PATTERN eine leichte Erweiterung. Mit Erfahrung in Intarsien und zwei- oder mehrfarbigen Mustern ist das PATCH ein einfacher Einstieg ins Patchworkstricken, das sie anschließend im Kapitel MODUL vertiefen können.

Strickrichtungen:

Hin und zurück

Als Patch (über Eck)

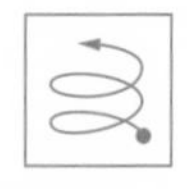

Rundgestrickt

Wo immer Sie auch beginnen, lassen Sie sich Zeit, verschiedene Techniken zu erkunden. Stricken Sie Testpatches und notieren Sie Garnsorte, Gewicht, Nadelgröße und Arbeitsdauer – wertvolle Anhaltspunkte für spätere Projekte. Springen Sie zwischen manuellem und digitalem Prototyping und montieren Sie Testpatches in Photoshop zu größeren Entwürfen. Haben Sie die Eigenheiten der Techniken und Garne etwas erkundet, steht Ihrem ersten *Typeknitting*-Projekt nichts mehr im Wege.

PIXEL	PATTERN	PATCH	MODUL
[→ S. 88]	[→ S. 102]	[→ S. 126]	[→ S. 138]

TEXTUR

Beim Stricken von Schrift wird Ihr Ergebnis immer erheblich vom Maschenbild geprägt. Ein Pixel in der Vorlage wird *glatt rechts* gestrickt zu einer V-förmigen Masche. Diese Masche ist zudem nicht quadratisch wie ihre Vorlage, sondern je nach Strickart und Material leicht rechteckig, zum Beispiel 2:3 oder 3:4.

Um das auszugleichen, können Sie bei klein gestrickten Schriften (1 Pixel = 1 Masche) noch Zwischenpixel einfügen. Je größer Sie die Schrift stricken, desto einfacher können Sie das Seitenverhältnis der Pixel anpassen (zum Beispiel 1 Pixel = 5 Maschen × 6 Reihen) [→S. 88].

SCHRIFTVORLAGEN

Am einfachsten erstellen Sie eigene Strickmuster, indem Sie Vorlagen grob gepixelt ausdrucken. Verkleinern Sie dazu die Vorlage erst auf die gewünschte Größe (bei 40 × 40 Maschen = 40 × 40 Pixel). Drucken diese dann groß aus. Physische Vorlagen können Sie genauso auch auf Karopapier abpausen.

Um die rechteckige Maschenform auszugleichen, können Sie das Seitenverhältnis der Pixelvorlage anpassen. Karopapier mit dem passenden Maschenverhältnis können Sie in Excel oder auf einigen Websites erstellen. [→ S. 212]

Pixelvorlagen lassen sich auch einfach mit Online-Editoren wie *Pixlr.com* erstellen.

Wollen Sie klassische Schriften eins zu eins als Strickvorlage aufrastern, gehen, besonders in kleineren Formaten, Details wie Serifen oder Punzen schnell verloren oder werden unförmig. Testen Sie daher vorab verschiedene Größen auf einem Probepatch beziehungsweise einer Maschenprobe.

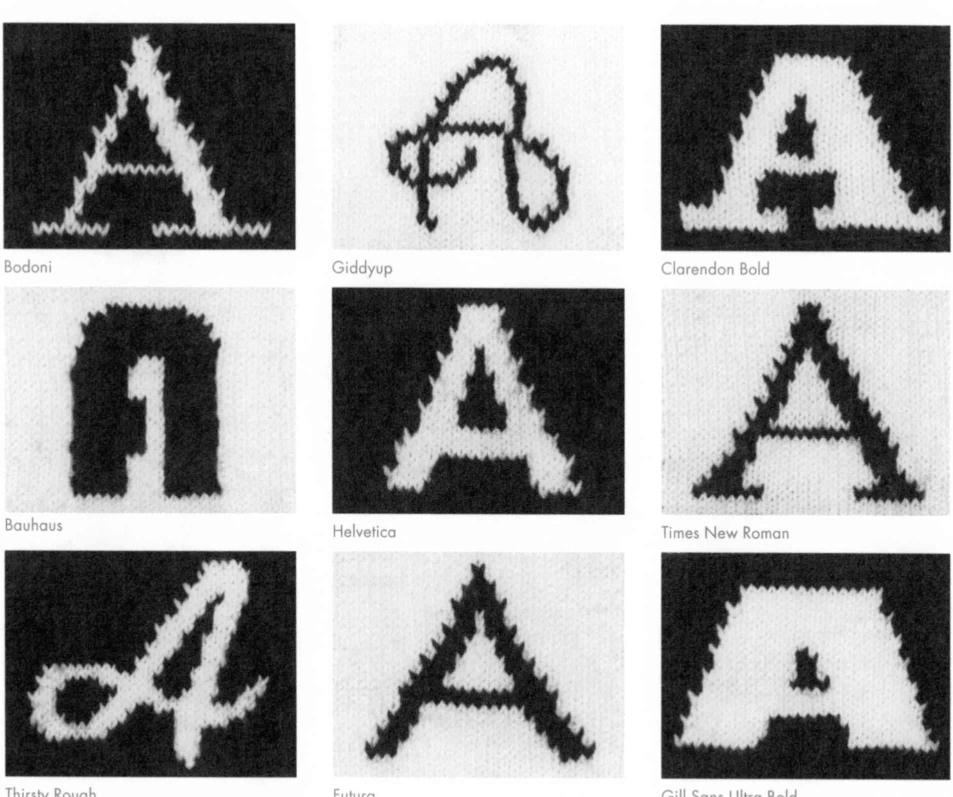

Bodoni · Giddyup · Clarendon Bold

Bauhaus · Helvetica · Times New Roman

Thirsty Rough · Futura · Gill Sans Ultra Bold

STRICKRICHTUNG

Je nachdem in welche Richtung Sie Ihre Vorlage stricken, weisen die V-förmigen Maschen nach oben, unten, links oder rechts. Bei 45°-Schrägen bildet die Maschenform entweder eine gezackte Kante oder sie fügt sich in die Schräge ein.

Liegt die Anschlagsreihe am unteren oder oberen Rand, ist die Grundlinie gezackt, vertikale Elemente werden gerade [1, 3]. Wenn Sie die Anschlagsreihe am rechten oder linken Rand beginnen, erhalten Sie eine gerade Grundlinie [2, 4].

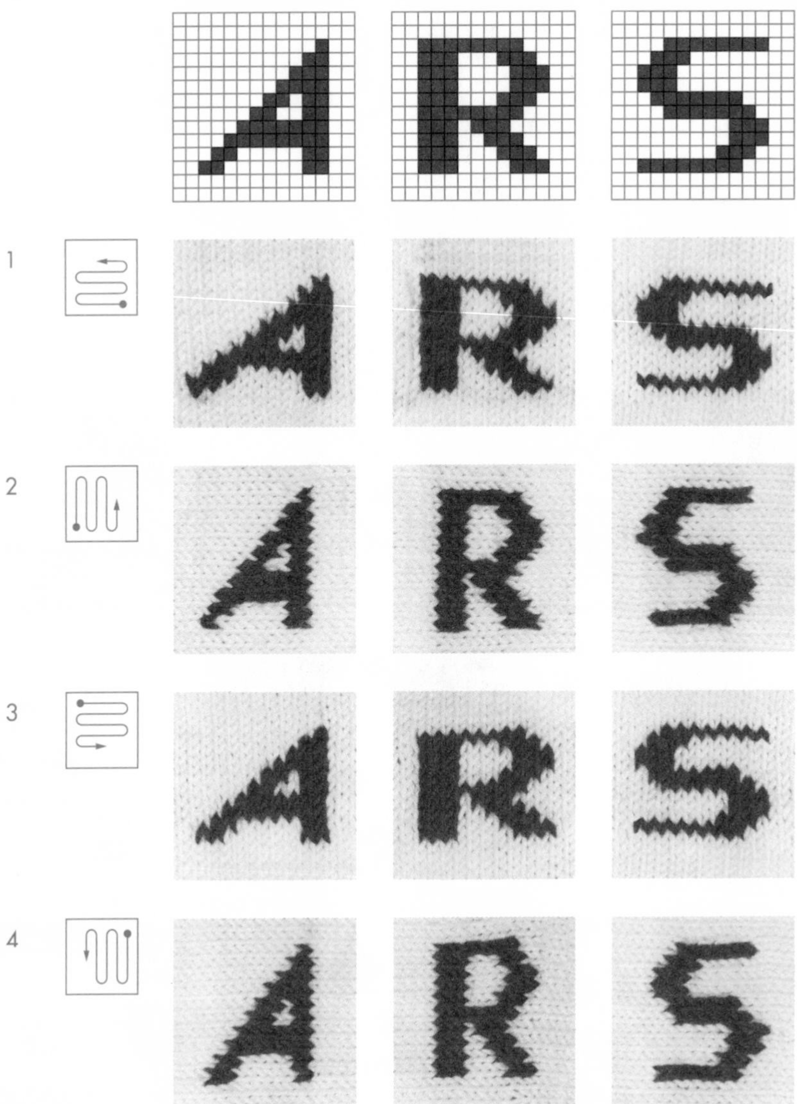

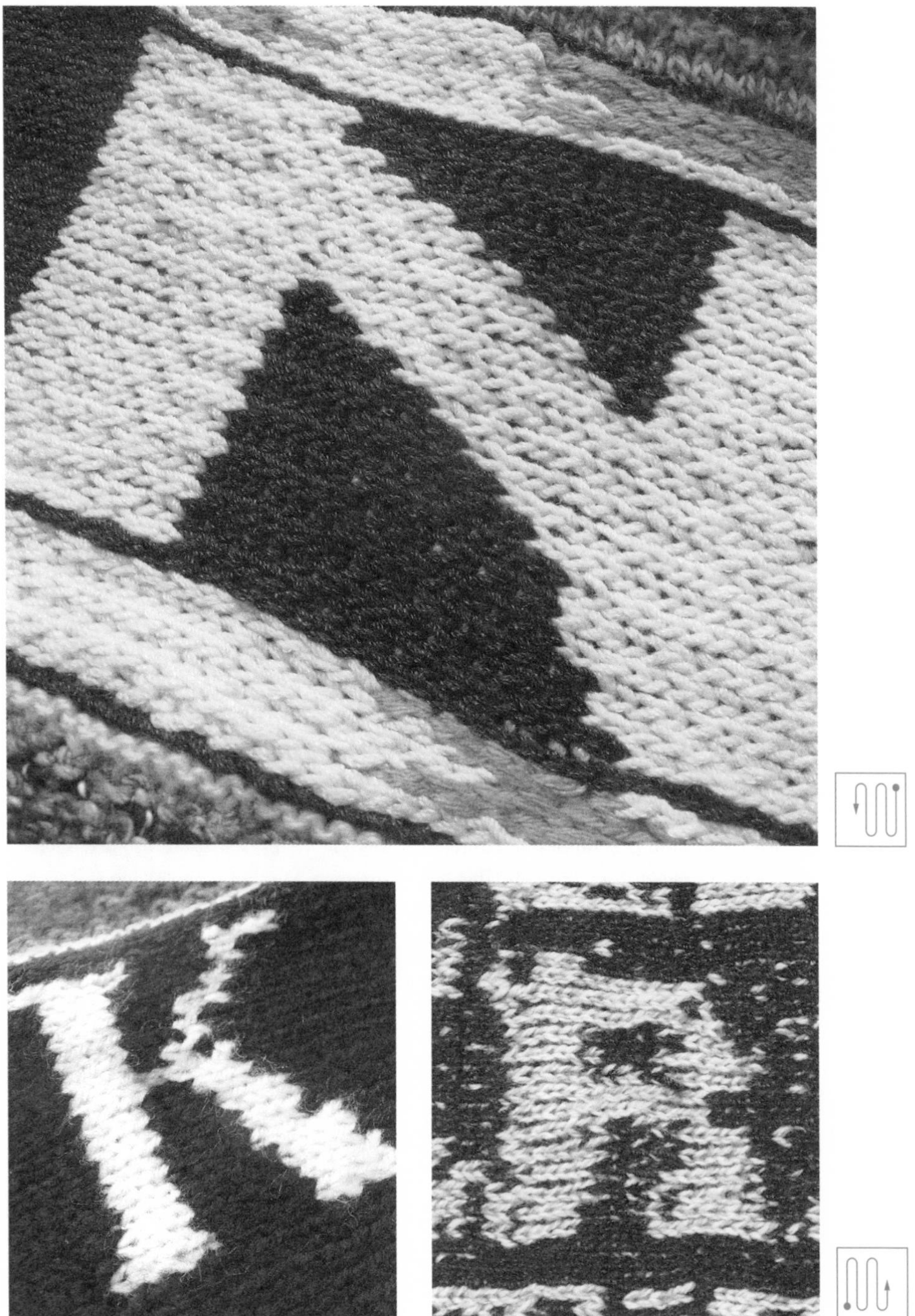

PERSÖNLICHER STIL

Stricken ist eine eng mit dem Körper verbundene Technik. Implizite Faktoren wie Rhythmusgefühl, Handhaltung und Sitzposition prägen Ihren individuellen Stil fast ebenso wie Ihre Farb- und Materialwahl. Ihre Maschentextur wird so zu einer Art eigenen Handschrift.

Ihr persönlicher Stil beginnt schon beim Vorbereiten des Strickmusters: Eine Pixelgrafik mit *Dithering*-Effekt können Sie akribisch Pixel für Pixel (Masche für Masche) nachstricken oder geometrisch an das Strickmusterraster anpassen.

Lassen Sie sich beim Erkunden neuer Techniken immer auch ein »Rückwärtslernen« offen. Was als unbeabsichtigter Fehler entsteht, können Sie auch gezielt als Stilmittel einsetzen: Farbblitzer bei Intarsien, (Un-)Lesbarkeit von pixeligen Vorlagen, Mischung ungleicher Garnsorten, Spannfäden auf der Vorderseite. Ein Blick von außen, im Strickzirkel oder Online-Forum, ermöglicht Ihnen oft einen unbefangenen Blick auf die eigene Arbeit.

Darüber hinaus gilt bei allen Testläufen: Lassen Sie sich nicht entmutigen, wenn ein Entwurf nicht gleich so klappt wie geplant und Sie neu beginnen müssen. Haben Sie Geduld mit sich und dem Faden. Beim nächsten Versuch wird es schon einfacher und am Ende lohnt es sich immer!

Pixelvorlage (Höhe 50 px)

Muster-Reinzeichnung (2-farbig)

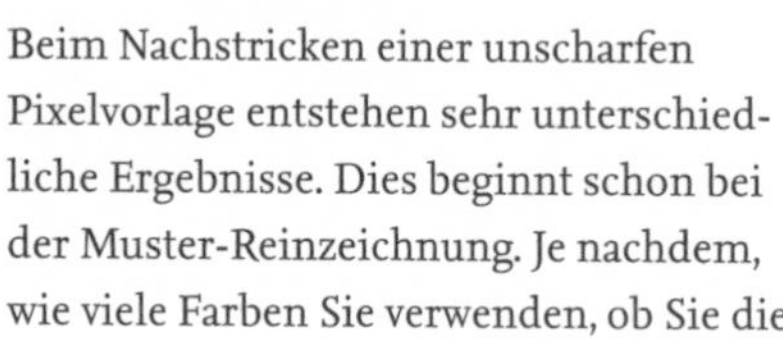

KOPIE UND ORIGINAL

Beim Nachstricken einer unscharfen Pixelvorlage entstehen sehr unterschiedliche Ergebnisse. Dies beginnt schon bei der Muster-Reinzeichnung. Je nachdem, wie viele Farben Sie verwenden, ob Sie die Vorlage pixelgenau übersetzen oder sie vereinfachen und begradigen sowie in welcher Richtung Sie stricken, prägen Sie einen eigenen Stil.

KOLLABORATIVE PROJEKTE

Für neu gegründete Strickzirkel eignen sich kollaborative Arbeiten als Startprojekte. Der Remix-Fanschal »Patchmatch« basiert auf Fanschal-Vorlagen von FC Bayern München, Japan, FC Schalke 04, Brasilien, 1. FC Köln und anderen. Remixt von Horst Schulz, gestrickt zusammen mit Christel Artz, Monika Faul, Kerstin Hering, Renate Korpus und Eveline Riefer-Rucht.

Typeknitting-Workshop
Burg Giebichenstein, Halle

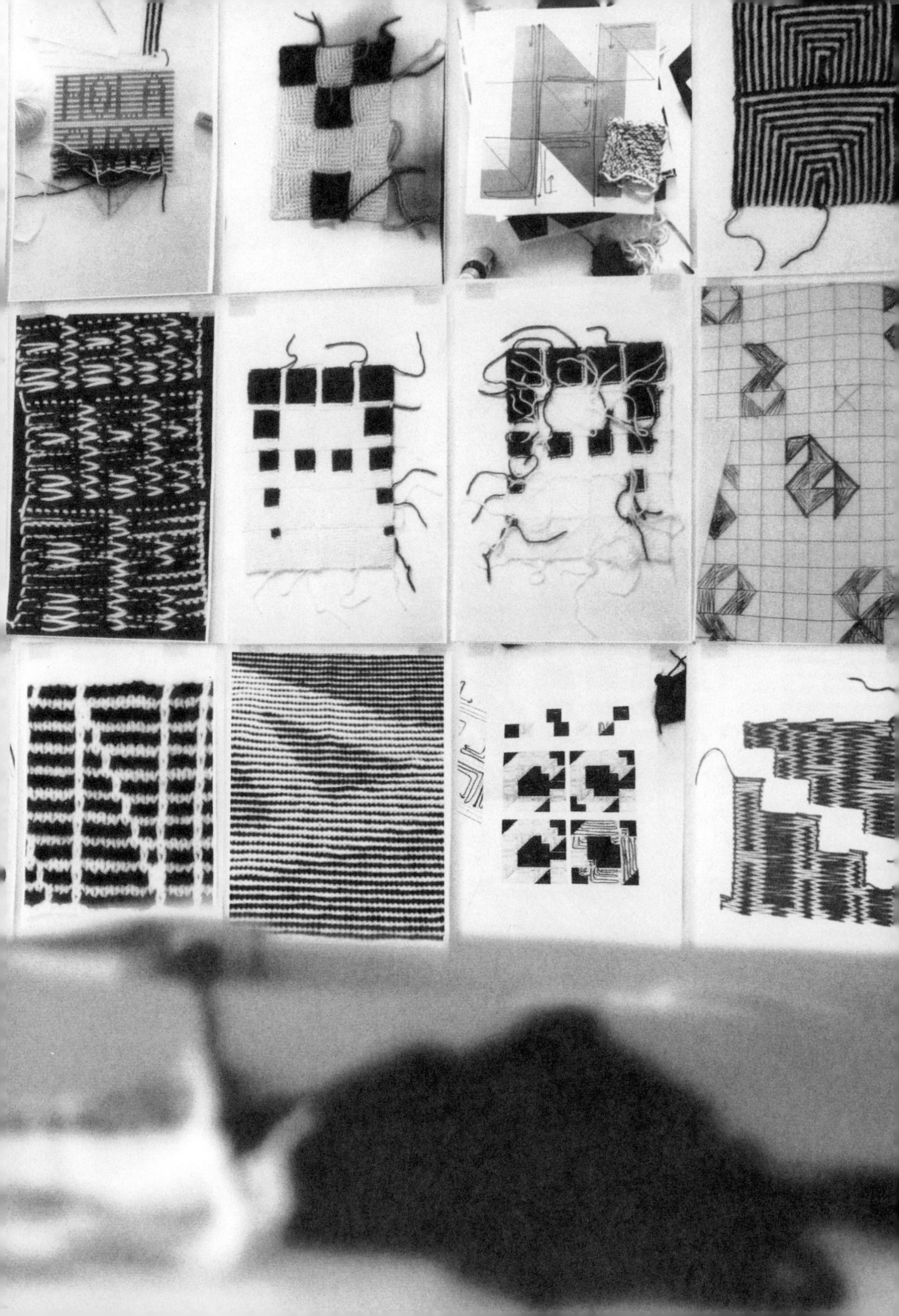

Prototyping-Session

SCHRIFT: LO-RES, OBLONG [→S. 200–201]
TECHNIK: JACQUARD [→S. 92]
OBJEKT: KISSEN [→S. 162]

SCHRIFT: PRINT CHAR 21, LO-RES [→S. 188, 201]
TECHNIK: JACQUARD [→S. 92]
OBJEKT: MASCHENPROBE

SCHRIFT: LŸNO (KARL NAWROT & RADIM PESKO) [→S. 212]
TECHNIK: ILLUSION KNITTING [→S. 109, 174]
OBJEKT: ILLUSION KNITTING DECKE [→S. 174]

SCHRIFT: HELVETICA (SCREENSHOT)
TECHNIK: GRAUSTUFEN DURCH MASCHENMUSTER [→ S. 100]
OBJEKT: PROTOTYP

SCHRIFT: ELEMENTAR [→ S. 193–195]
TECHNIK: JACQUARD [→ S. 92]
OBJEKT: PROTOTYP

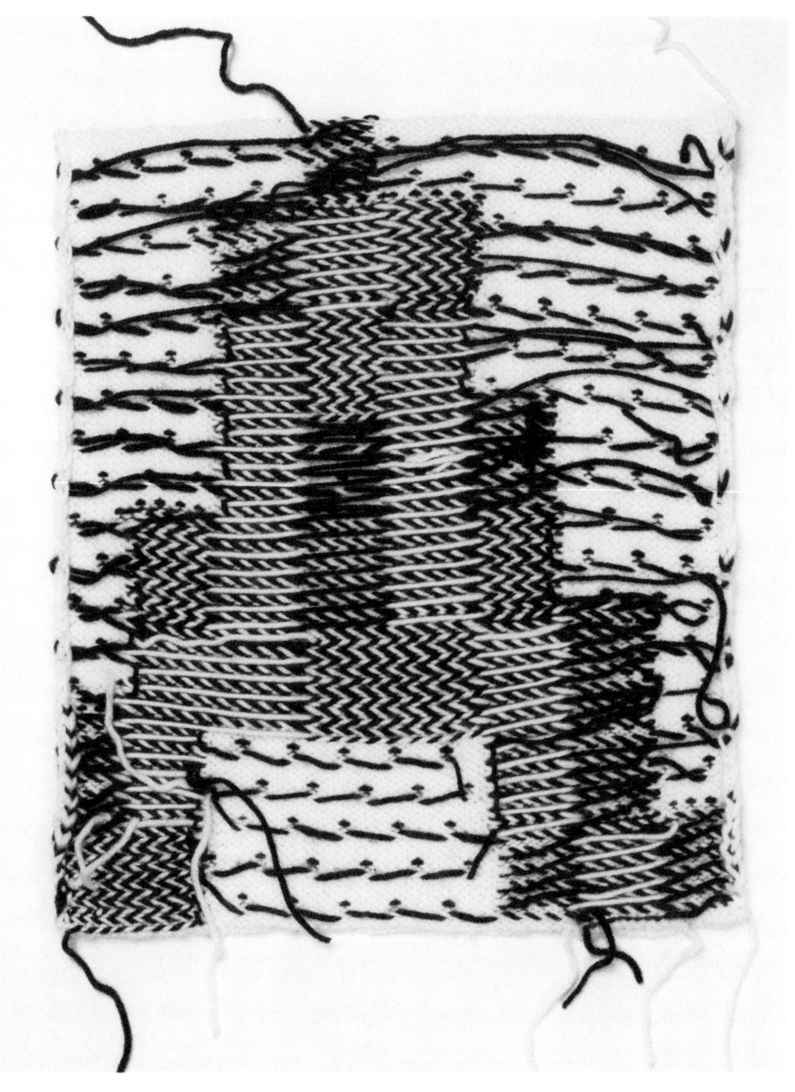

SCHRIFT: HELVETICA (SCREENSHOT)
TECHNIK: GRAUSTUFEN DURCH MASCHEN-MUSTER (RÜCKSEITE) [→ S. 100]
OBJEKT: PROTOTYP

SCHRIFT: ELEMENTAR [→ S. 193–195]
TECHNIK: JACQUARD (RÜCKSEITE) [→ S. 92]
OBJEKT: PROTOTYP

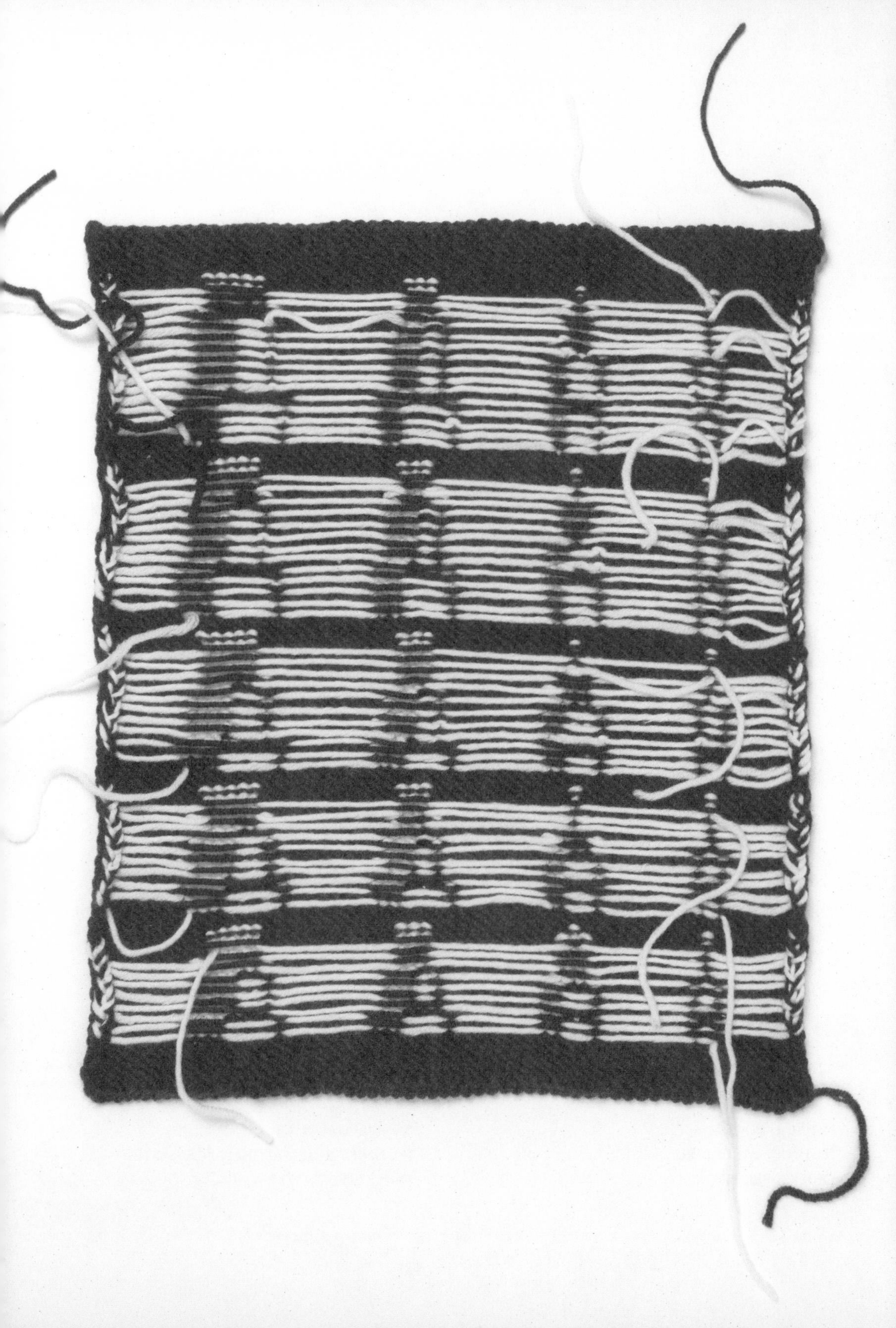

SCHRIFT: LO-RES [→S. 201]
TECHNIK: JACQUARD [→S. 92]
OBJEKT: PROTOTYP

SCHRIFT: MONTEREY [→S. 189]
TECHNIK: HEBEMASCHEN ALS RASTER [→S. 116]
OBJEKT: PROTOTYP

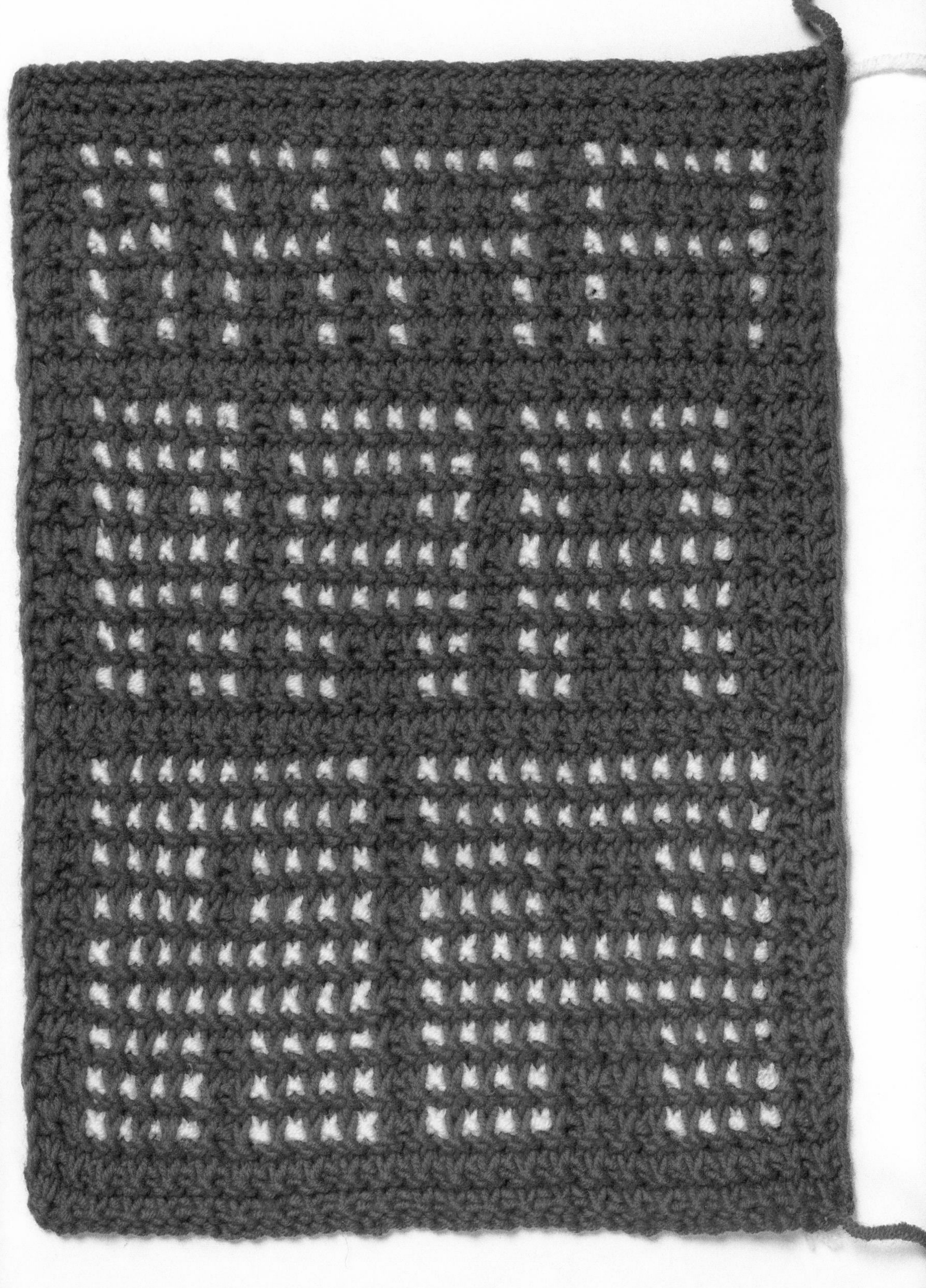

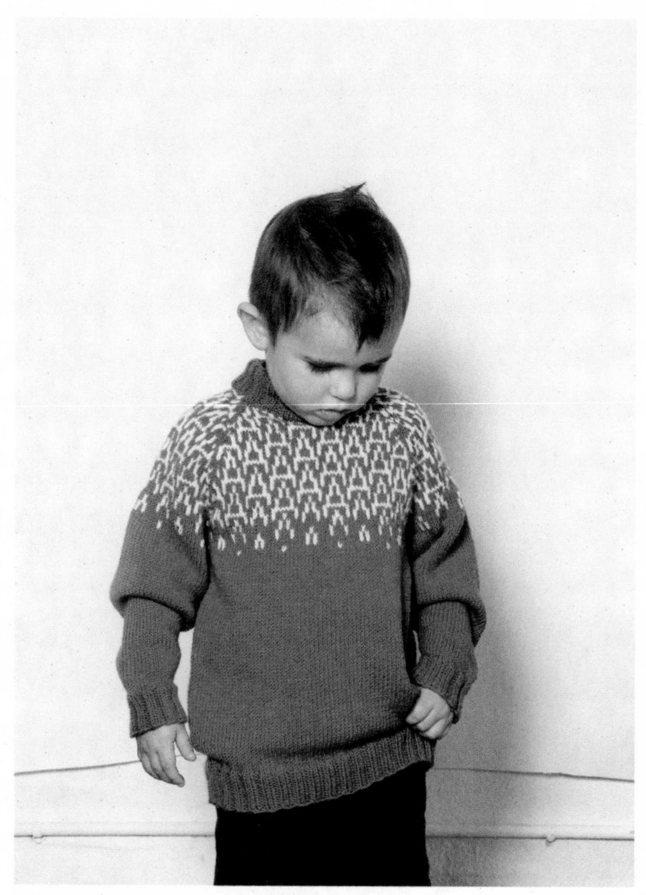

SCHRIFT: ELEMENTAR SANS B [→ S. 195]
TECHNIK: JACQUARD [→ S. 92]
OBJEKT: KINDERPULLOVER NORWEGERMUSTER [→ S. 185]

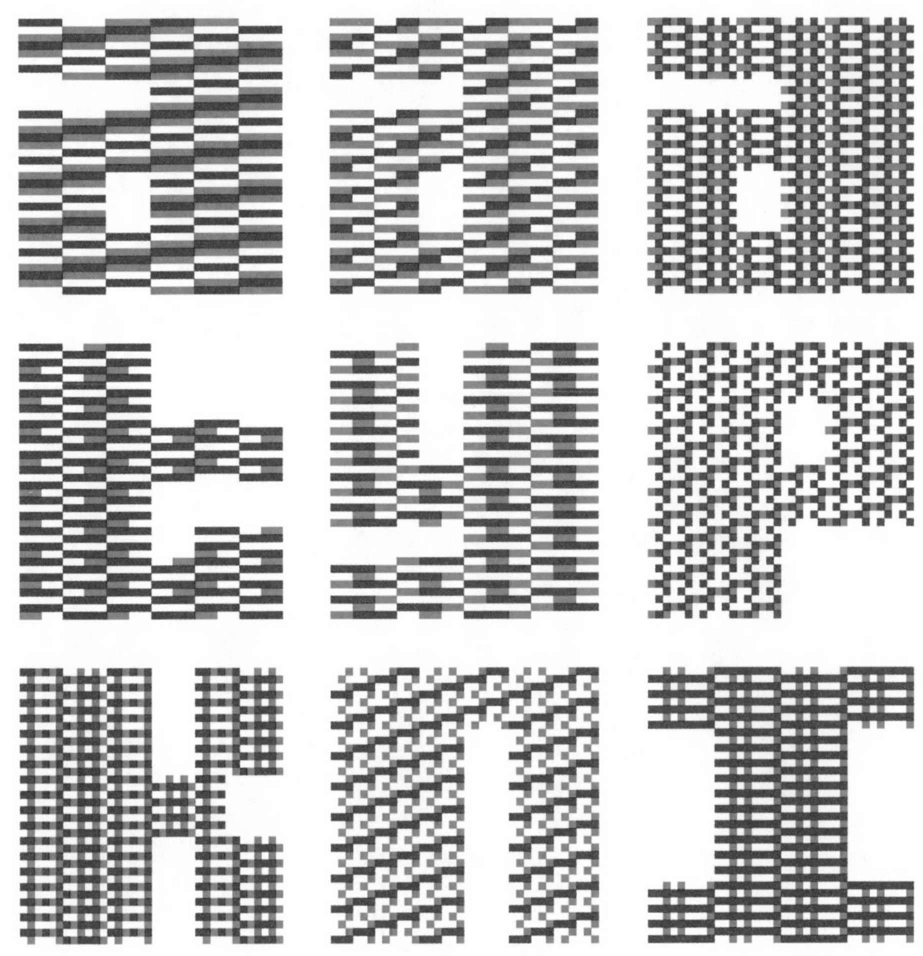

SCHRIFT: TYPEJOCKEY^KNIT [→S. 120–125]
TECHNIK: JACQUARD [→S. 92]
OBJEKT: PROTOTYP

SCHRIFT: FANSCHAL-ELEMENTE
TECHNIK: INTARSIEN [→S. 92]
OBJEKT: REMIX-FANSCHAL [→S. 164]

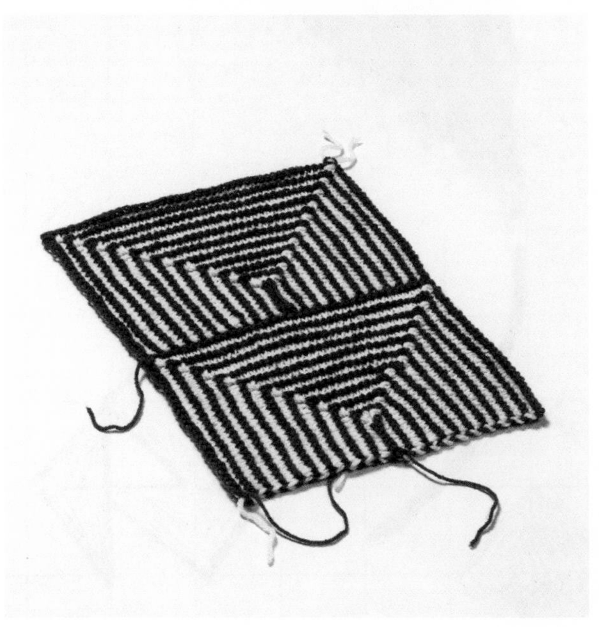

SCHRIFT: LO-RES [→ S. 201]
TECHNIK: JACQUARD [→ S. 92]
OBJEKT: PROTOTYP

SCHRIFT: MODUL CORNER[KNIT] [→ S. 148]
TECHNIK: MODUL CORNER PATCH [→ S. 140]
OBJEKT: PROTOTYP

SCHRIFT: FLORE LEVROUW
TECHNIK: DIAGONAL PATCH [→ S. 152]
OBJEKT: PROTOTYP

SCHRIFT: CUSTUM
TECHNIK: HEBEMASCHEN ALS RASTER [→ S. 116]
OBJEKT: PROTOTYP

SCHRIFT: CUSTUM
TECHNIK: HEBEMASCHEN ALS LINIE [→ S. 112]
OBJEKT: PROTOTYP

STABILO BOSS

weiss
Blau

SCHRIFT: CUSTOM
TECHNIK: HEBEMASCHEN ALS LINIE [→ S. 112]
OBJEKT: HEBEMASCHEN-PULLOVER [→ S. 178]

SCHRIFT: GEM DESKTOP 2.0 [→ S. 192]
TECHNIK: JACQUARD RUNDGESTRICKT [→ S. 92]
OBJEKT: SELBU-HANDSCHUHE [→ S. 170]

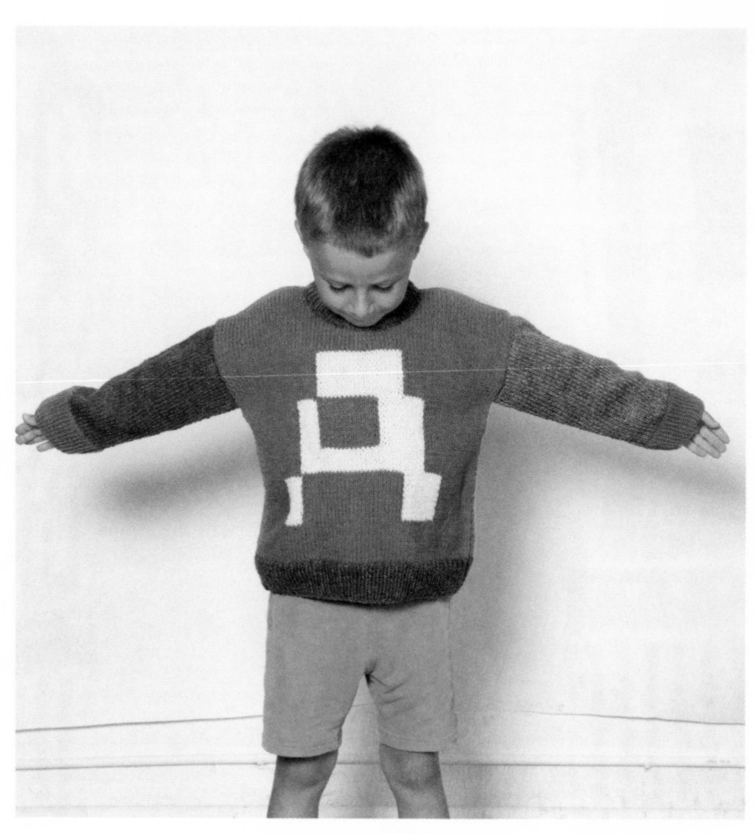

SCHRIFT: ELEMENTAR SANS B [→ S. 193]
TECHNIK: INTARSIEN, *GLATT RECHTS* [→ S. 92]
OBJEKT: KINDERPULLOVER INTARSIEN [→ S. 182]

SCHRIFT: ELEMENTAR [→ S. 193–195]
TECHNIK: DOUBLE-FACE [→ S. 93]
OBJEKT: DOUBLE-FACE-MÜTZE [→ S. 166]

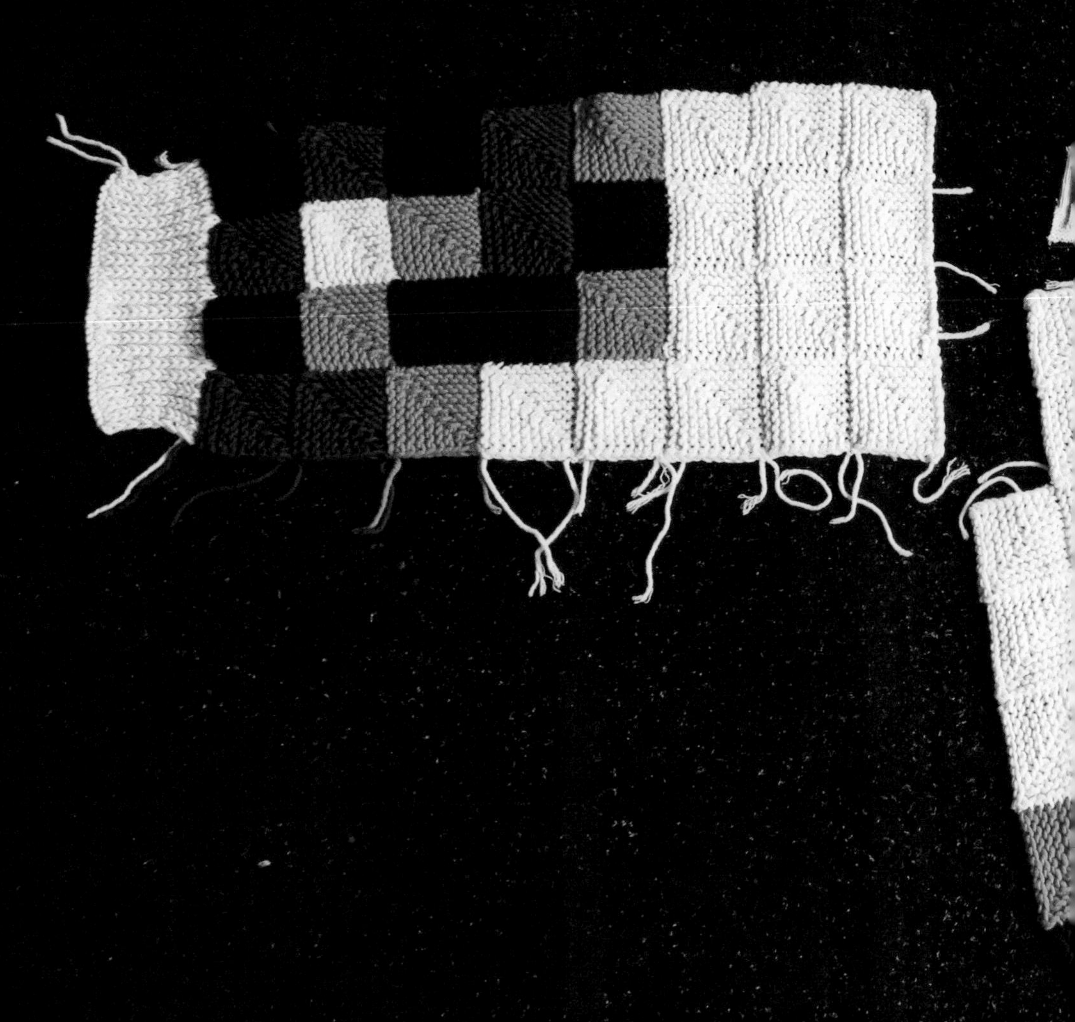

SCHRIFT: HELVETICA (SCREENSHOT) [→ S. 136]
TECHNIK: CORNER PATCH [→ S. 128]
OBJEKT: PATCHWORK-PULLOVER [→ S. 176]

SCHRIFT: CALCULA [→ S. 198]
TECHNIK: HEBEMASCHEN ALS RASTER [→ S. 116]
OBJEKT: KINDERPULLOVER HEBEMASCHEN [→ S. 184]

LOGO: VERLAG HERMANN SCHMIDT [→ S. 217]
TECHNIK: JACQUARD [→ S. 92]
OBJEKT: PROTOTYP

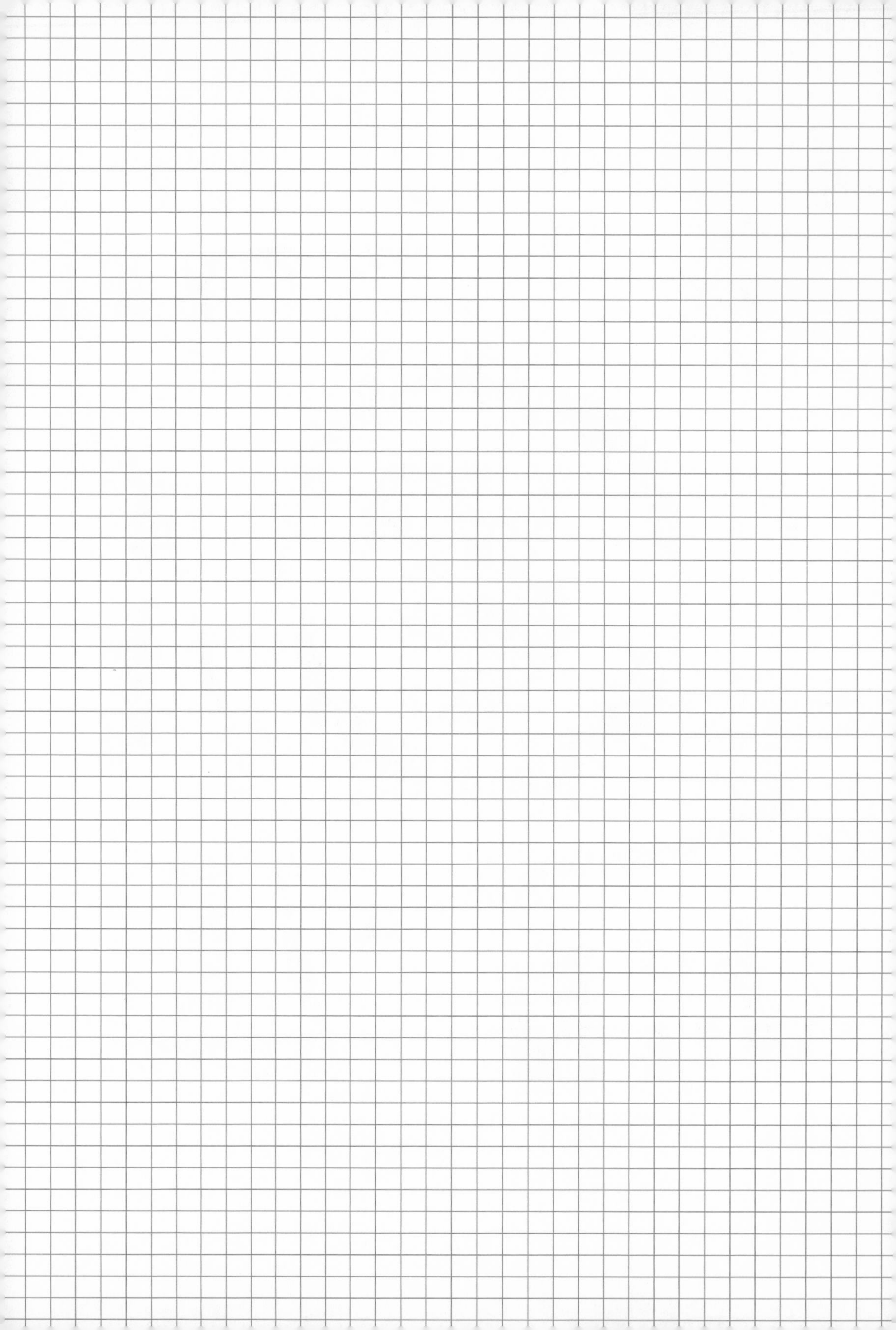

I.

STRICK BASICS

Grundlegende Techniken

Stricken lernen Sie auf viele verschiedene Weisen. In einem Workshop, mit einem Strickbuch, durch Video-Tutorials oder durch jemanden, der es Ihnen persönlich zeigt, zum Beispiel im generationsübergreifenden Strickzirkel. Überall finden Sie hilfreiche Techniken und Tricks, die sich nach und nach zu Ihrer persönlichen Strickweise zusammenfügen. Auf den Folgeseiten sind einige Grundprinzipien zusammengefasst, die sich beim *Typeknitting* als hilfreich erwiesen haben.

ANFANGEN

Stricken ist eine Sammlung von vielen kombinierbaren Einzelhandgriffen. Jeder für sich ist relativ einfach zu verstehen und zu lernen. Erst in der Kombination der Grundtechniken entsteht nach und nach eine höhere Komplexität. Lassen Sie sich daher von fortgeschrittenen Beispielen nicht abschrecken.

Auf welche Art Sie am besten den Einstieg finden und lernen, ist sehr individuell. Das Angebot war jedoch noch nie so umfangreich wie heute. Bedienen Sie sich aus der vorhandenen Bandbreite von gedruckten und digitalen Anleitungen, aus Video-Anleitungen [→ S. 213], lokalen Workshops, neuen und alten Büchern.

Es gibt nicht »die richtige« Methode der Handhaltung und Fadenspannung. Fragen Sie erfahrene Stricker+innen nach Praxistipps, und welche Anleitungen für sie am besten funktionieren und warum. Einige Fragen entstehen erst beim Machen, andere klären sich von selbst. Gehen Sie Schritt für Schritt. Das Tempo bestimmen Sie.

Die Strickstruktur können Sie sich als referenzielles Gewebe vorstellen: Stricken ist im Grunde eine Masche aus einer Masche aus einer Masche … Es beginnt mit einer Anfangsschlaufe.

Faden greifen

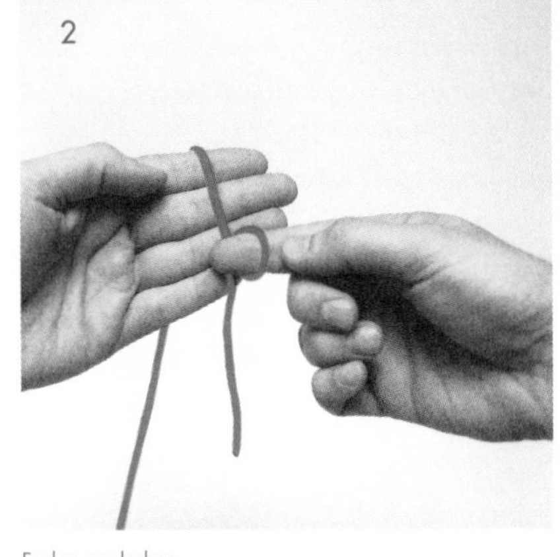

Faden verdrehen

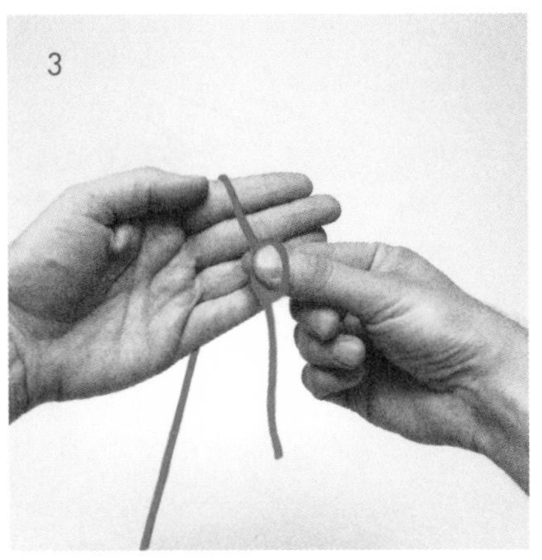

Hindurchgreifen

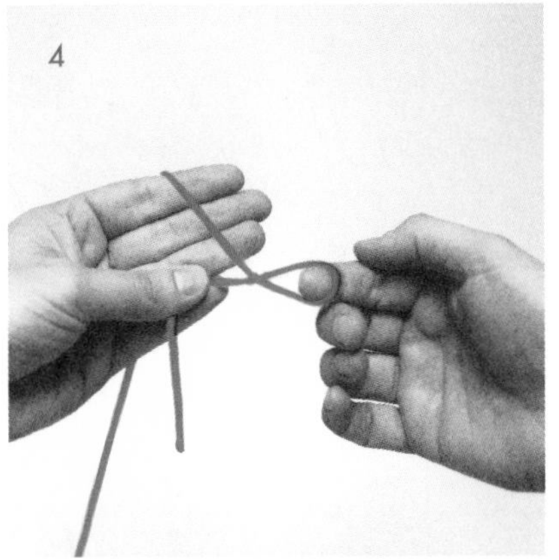

Schlaufe herausziehen

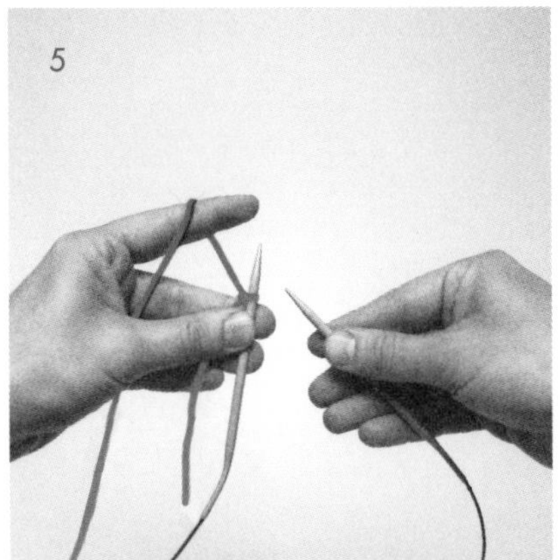

Anfangsschlaufe auf die linke Nadel legen

ANSCHLAGSMASCHEN

Verwenden Sie einen *Französischen Anschlag* (oder *aufgestrickten* Maschenanschlag), um später einfach an die unteren Randmaschen anstricken zu können: Zuerst legen Sie die Anfangsschlaufe auf die linke Nadel. Aus dieser Schlaufe stricken Sie eine Masche heraus [1–3] und legen diese umgekehrt wieder zurück auf die linke Nadel [4]. Wenn Sie die Nadel stecken lassen, haben Sie gleich die Ausgangsposition für die nächste Masche und ziehen den Faden nicht zu fest [5]. Dies wiederholen Sie so lange, bis Sie die gewünschte Anzahl von Maschen auf der linken Nadel haben. Wenn Sie beim pattern- oder patchbasierten Stricken in Doppelreihen zählen, gilt diese Anschlagsreihe als erste Hinreihe.

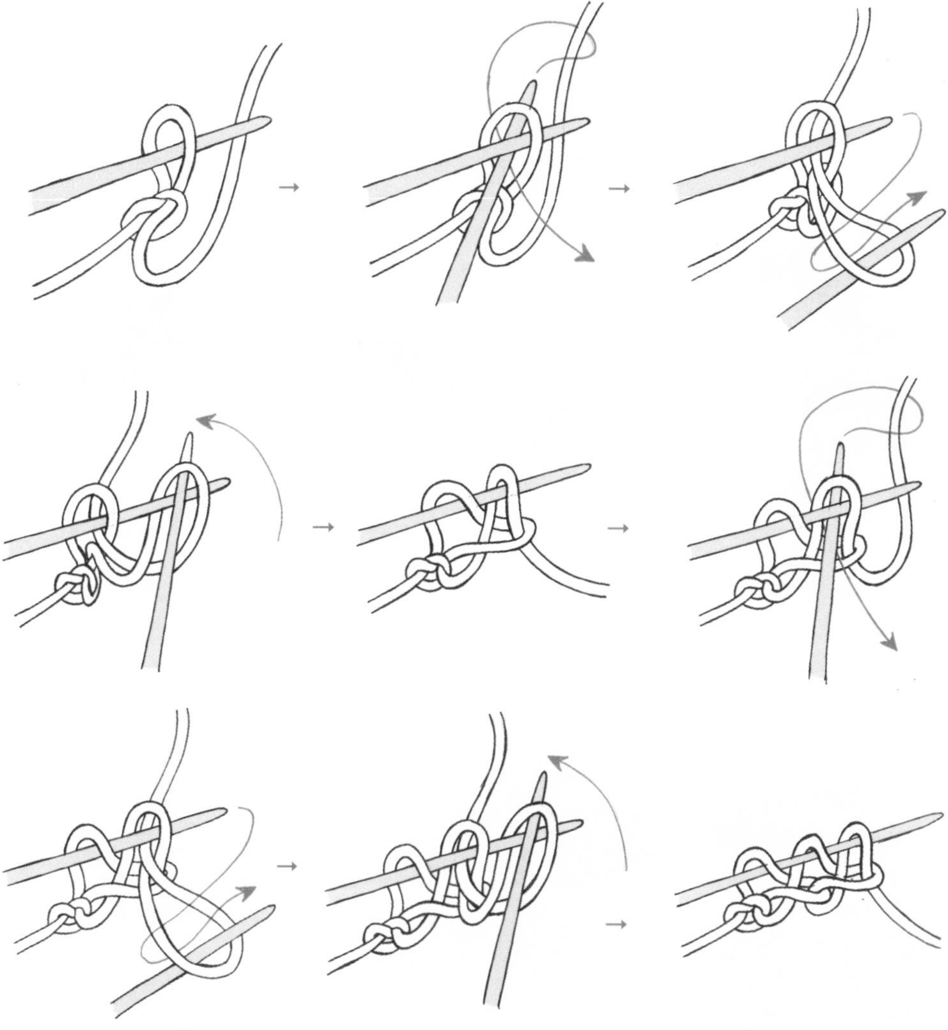

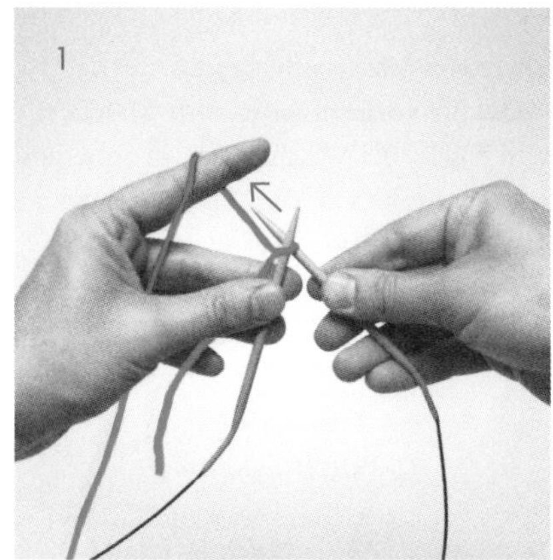

Mit der rechten Nadel in die Schlaufe stechen

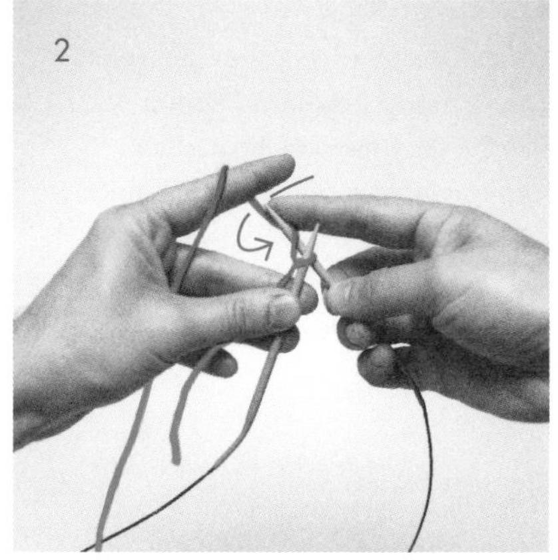

Rechte Masche aus Schlaufe herausstricken

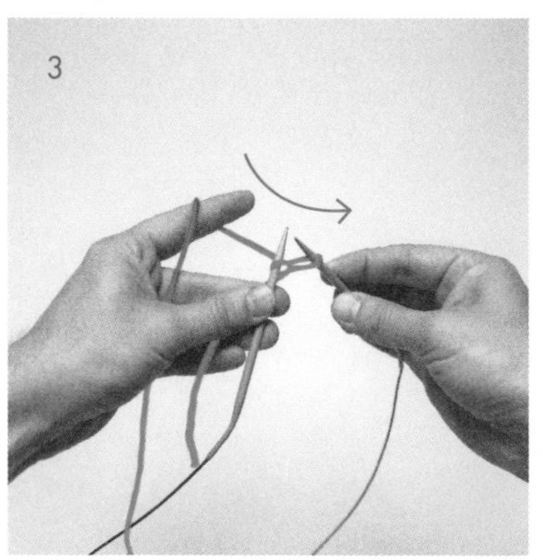

Faden ganz herausziehen

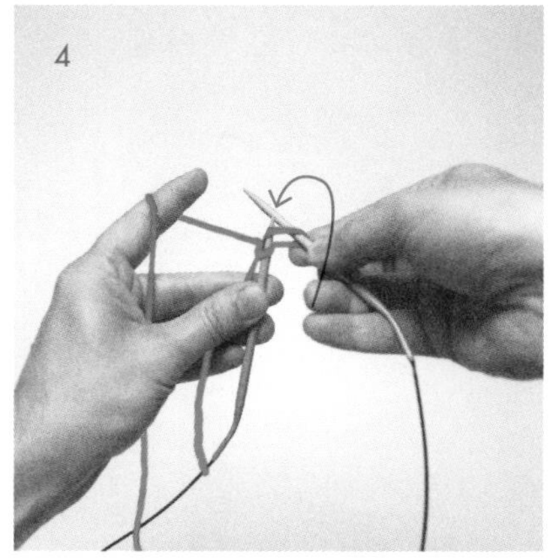

Masche umgekehrt wieder auf die linke Nadel legen

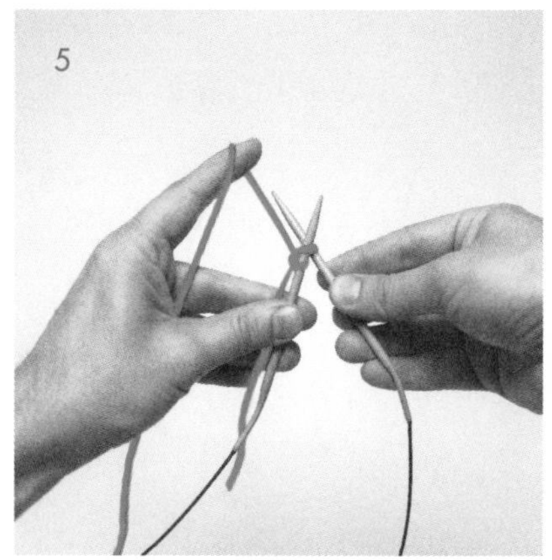

Nadel stecken lassen, Masche festziehen

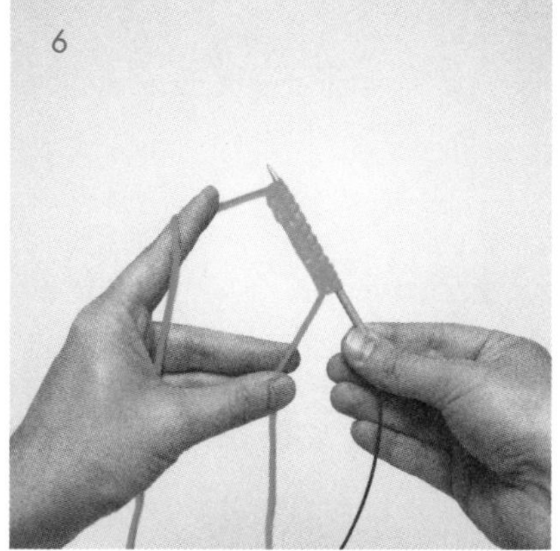

Anzahl und Gleichmäßigkeit kontrollieren

LINKE MASCHEN

Als Rechtshänder stricken Sie entgegen der Leserichtung: Bei *linken Maschen* stechen Sie von hinten in die nächste Masche und holen den Faden nach hinten heraus. Danach streifen Sie wieder die Masche von der linken Nadel ab. *Linke Maschen* sehen aus wie die Rückseiten von *rechten Maschen.*

RECHTE MASCHEN

Bei *rechten Maschen* stechen Sie mit der Nadel von vorne in die nächste Masche und holen eine Masche nach vorne heraus. Danach streifen Sie die Masche von der linken Nadel ab.

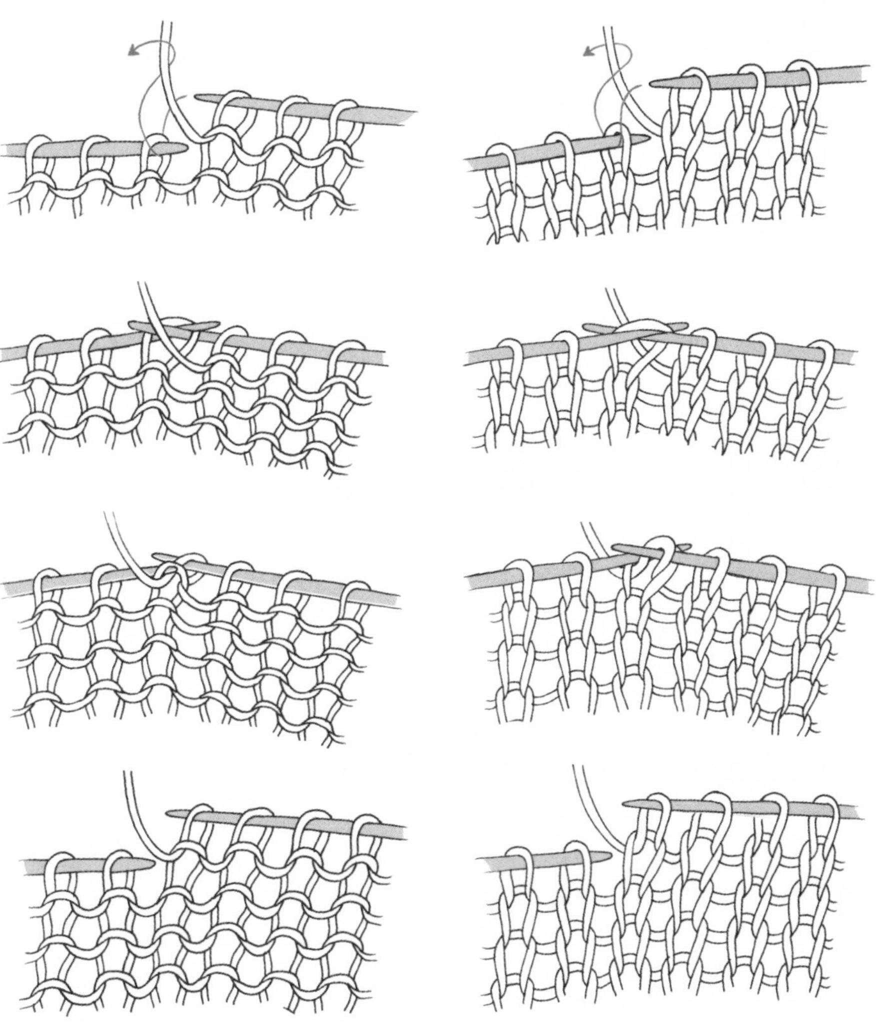

KOMBINATIONEN

Durch die Kombination von *rechten* (R) und *linken* (L) Maschen in Hin- und Rückreihe erzielen Sie verschiedene Muster und Strukturen. Im Kapitel PIXEL stricken Sie immer *glatt rechts* (Hinreihe R / Rückreihe L) [1]. Eine Pixelreihe zählt hier als Maschenreihe. Wenn Sie zwei Farben gleichzeitig stricken, erzielen Sie ein Zufallsmuster [2].

Im Kapitel PATCH stricken Sie *kraus rechts* (Hinreihe R / Rückreihe R) [3], in den Kapiteln PATTERN und MODUL dann mehrfarbig in *kraus rechts* oder abwechselnd *glatt rechts* und *kraus rechts* [4]. Bei allen drei Kapiteln zählt jeweils eine Pixelreihe als Doppelreihe (Hin- und Rückreihe zusammen).

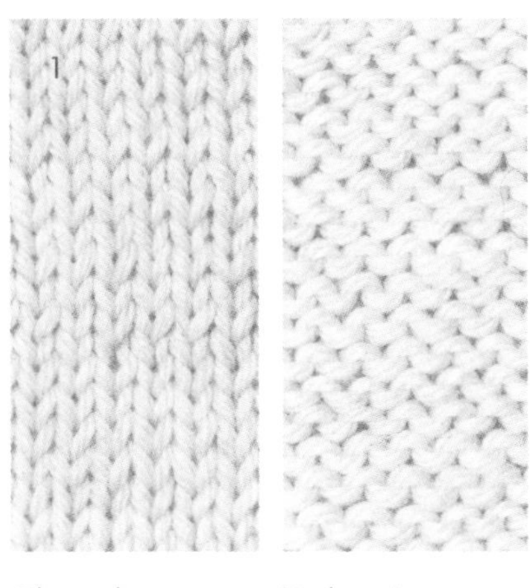

Glatt rechts (Rückseite)

Glatt rechts
zwei Farben gleichzeitig

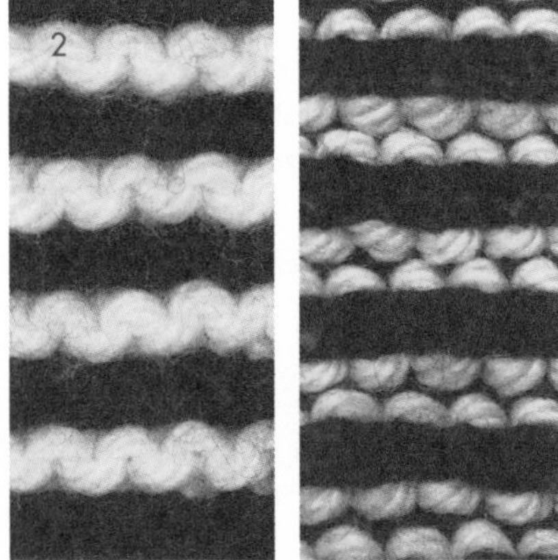

Kraus rechts
zwei Farben abwechselnd (je Doppelreihe)

Kraus rechts / glatt rechts abwechselnd
zwei Farben abwechselnd (je Doppelreihe)

GRUNDLAGEN PATCHWORKSTRICKEN

Beim *Typeknitting* verwenden Sie einige Grundprinzipien aus dem Patchworkstricken. Diese werden erst in den Kapiteln PATCH und MODUL elementar für die Konstruktion der Einzelbuchstaben. Es lohnt sich jedoch, sie auch schon in den Kapiteln PIXEL und PATTERN anzuwenden, so können Sie Einzelteile später gut aneinanderstricken.

Die Grundidee des Patchworkstrickens ist modular. Anstatt alle Patches einzeln zu stricken und anschließend mühsam zusammenzunähen, verbinden Sie diese direkt beim Stricken. Dazu müssen die Randmaschen an allen Seiten weit genug sein, um aus ihnen die Anschlagsmaschen des jeweils nächsten Patches (oder des nächsten Buchstabens) herauszustricken.

Es ist hilfreich, wenn Sie diese Grundtechniken erst an einigen Musterpatches üben, bevor Sie mit größeren Arbeiten beginnen. Sie finden auch entsprechende Video-Tutorials oder Kursangebote in spezialisierten Wollgeschäften [→ S. 213].

Damit Sie später an allen vier Seiten eines Patches problemlos anstricken können, nutzen Sie folgende Grundprinzipien:

Für die *Anschlagsreihe* verwenden Sie einen *Französischen Anschlag*, damit auch an den unteren Rand angestrickt werden kann. Bei Doppelreihen zählt diese Anschlagsreihe als erste Hinreihe. [→ S. 76]

Die *Randmaschen* gehen immer über zwei Reihen (eine Doppelreihe). So werden die Randmaschen groß genug, um aus ihnen herauszustricken. Hierfür heben Sie jeweils die letzte Masche jeder Reihe (sowohl in der Hin- als auch Rückreihe) auf die rechte Nadel, ohne eine Masche herauszustricken. [→ S. 82]

Arbeiten, die hin- und zurückgestrickt werden (Kapitel PIXEL und PATTERN), beenden Sie auf der letzten Rückreihe mit normalem *Abstricken.* Dafür stricken Sie zwei Maschen und stülpen dann die erste über die zweite Masche. Dies wiederholen Sie bis zum Ende der Reihe. [→ S. 87]

Im Kapitel PATCH wird kein Abstricken nötig, da am Ende eines Patches nur eine Masche übrig bleibt. Im Kapitel MODUL stricken Sie nur an den Stellen ab, die sich nicht anders lösen lassen. [→ S. 147]

EINEN PATCH STRICKEN

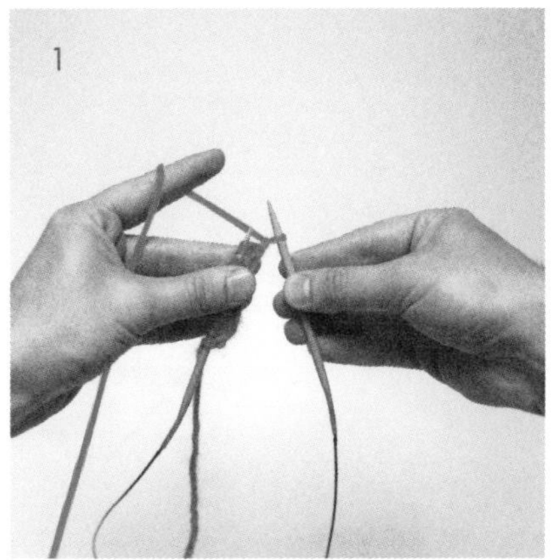

Die Anschlagsreihe zählt als Hinreihe – bei der Rückreihe erste Masche von rechts einstechen, danach *rechts* stricken

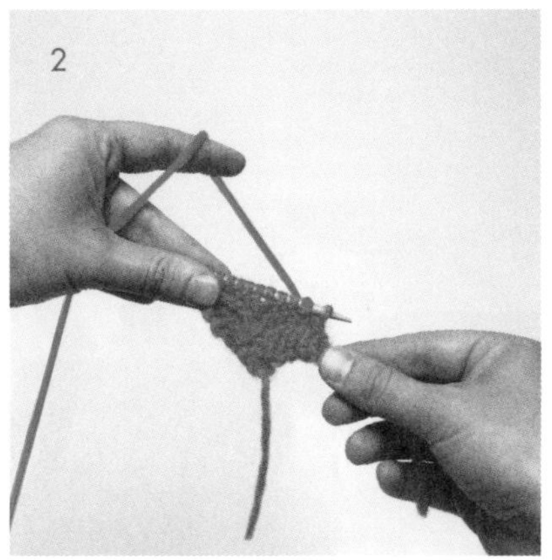

Nach einem Drittel nimmt der Patch seine Form an

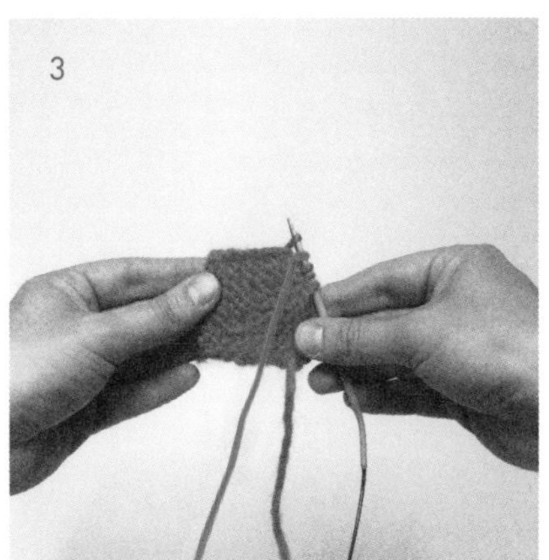

Jede Hinreihe hat zwei Maschen weniger

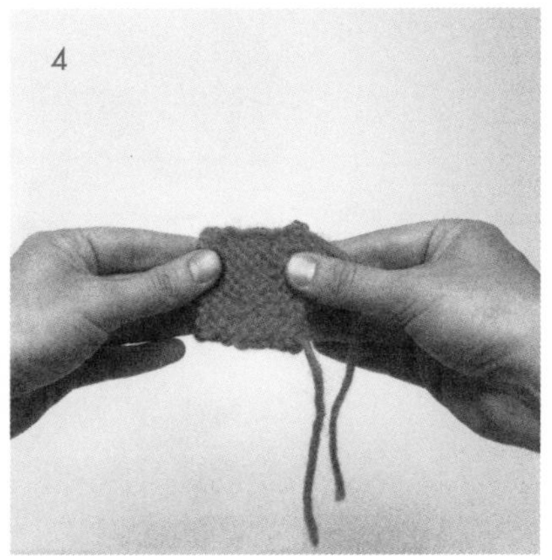

Quadratische Form kontrollieren

Die quadratische Form einen Patches entsteht, indem Sie immer auf der Rückreihe die mittleren drei Maschen zusammenstricken. So entfallen auf jeder Doppelreihe zwei Maschen und der Patch nimmt allmählich seine quadratische Form an. [→ S. 128]

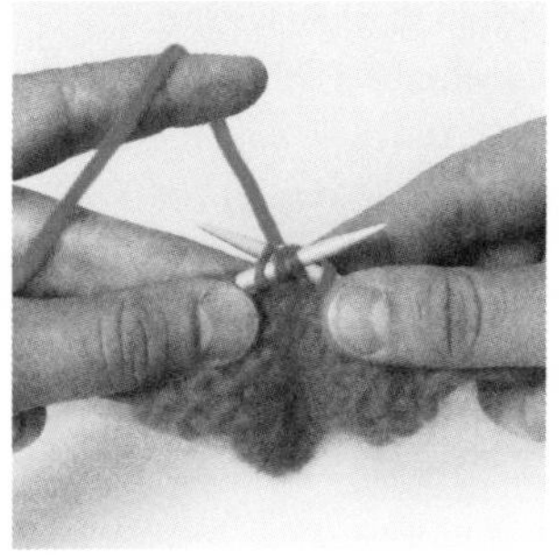

Beim Zusammenstricken gleichzeitig aus drei Maschen eine Masche herausstricken

RANDMASCHEN

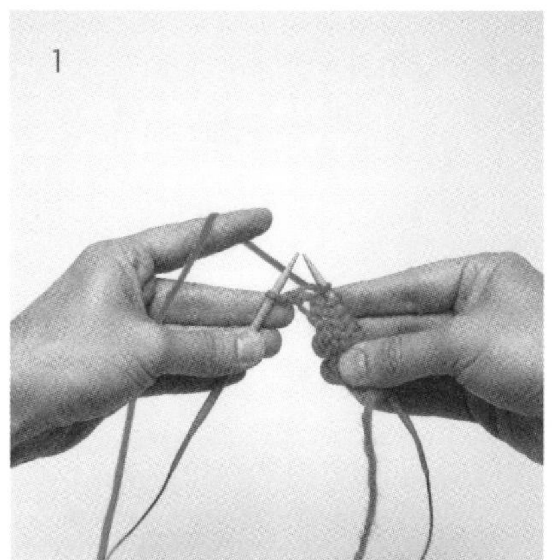

Reihe bis zur vorletzten Masche normal stricken

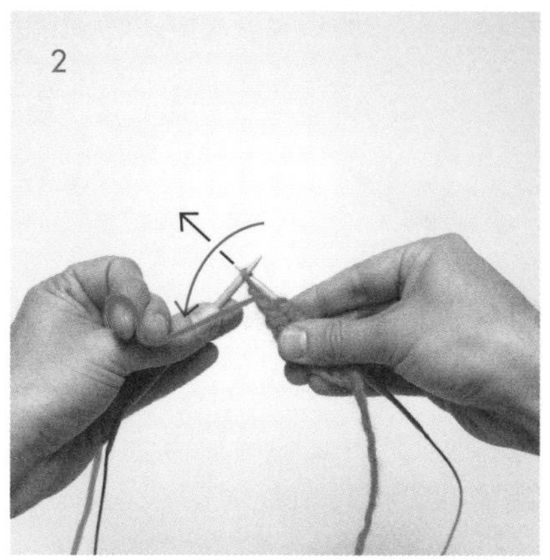

Faden nach vorne legen, in letzte Masche einstechen

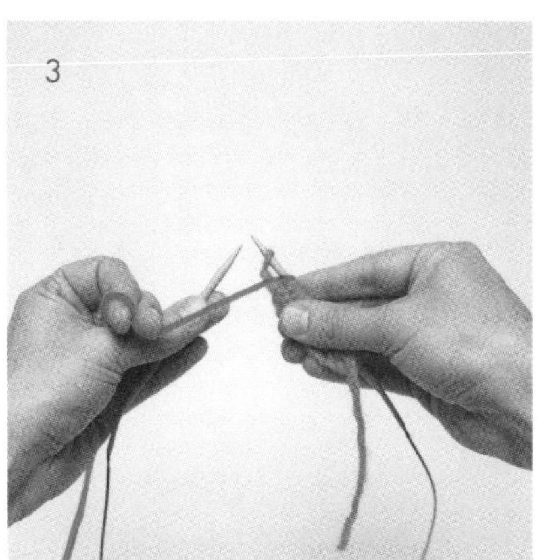

Letzte Masche überheben (ohne zu stricken)

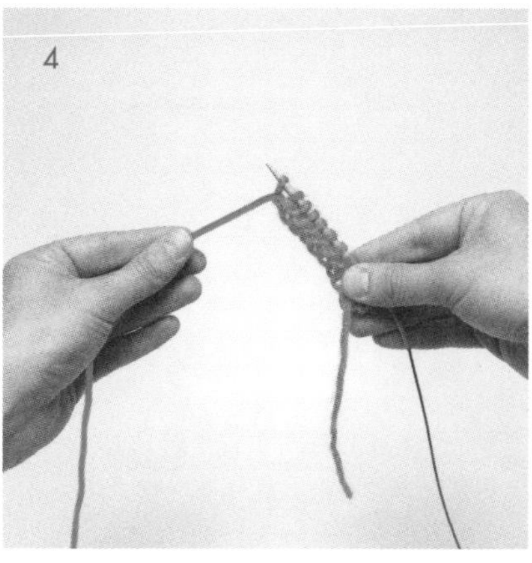

Anzahl und Gleichmäßigkeit der Maschen kontrollieren

Die Randmaschen stricken Sie immer über eine Doppelreihe. Dafür heben Sie jeweils die letzte Masche jeder Hin- und Rückreihe auf die rechte Nadel, ohne sie zu stricken. Wenn Sie anschließend *rechts* weiterstricken, legen Sie vorher den Faden auf die Vorderseite [2]. So werden sie groß genug, um anschließend aus ihnen herauszustricken [5].

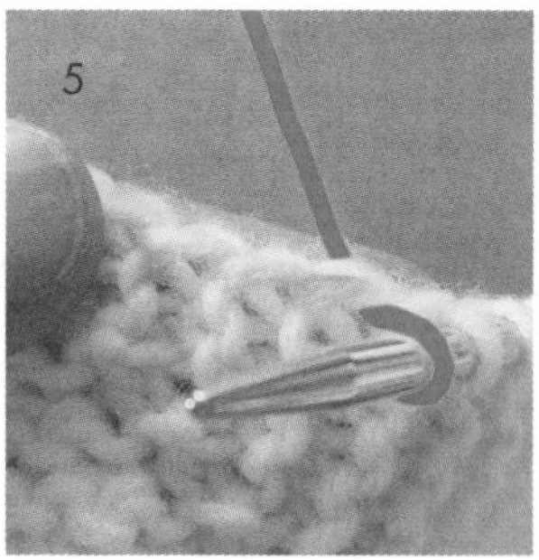

Aus Randmasche herausstricken

AUS RANDMASCHEN HERAUSSTRICKEN

Patch 1 in linker Hand in Strickrichtung halten (Anfangsfaden unten rechts, Endfaden oben rechts)

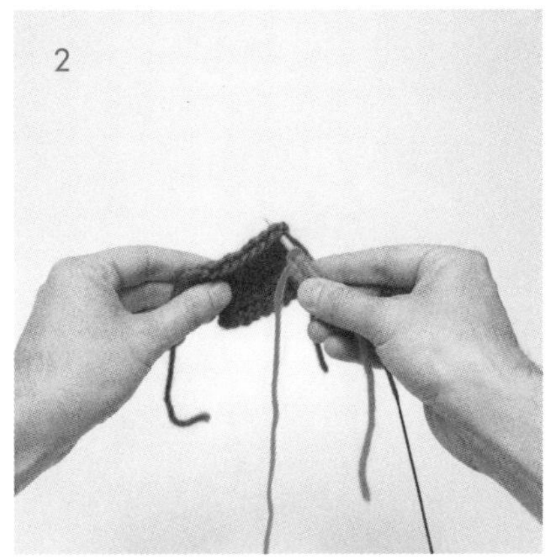

In erste Randmasche einstechen

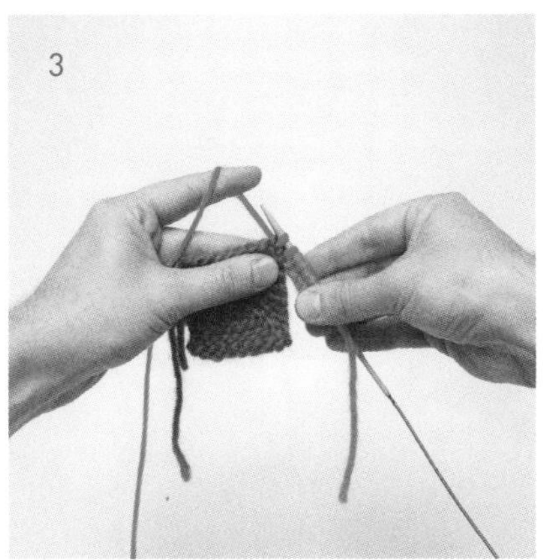

Faden hinter die Arbeit nehmen, Masche herausstricken

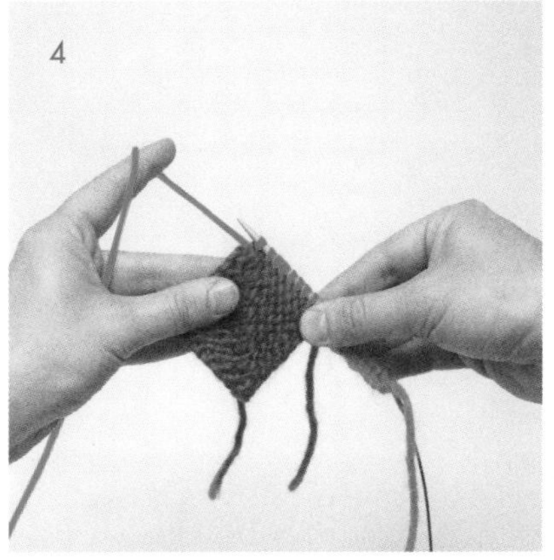

Nach Abschluss der Reihe Maschenanzahl kontrollieren

Um aus Randmaschen herauszustricken, nehmen Sie den fertigen Patch in die linke und die Nadel in die rechte Hand [1]. Die Randmaschen an den Ecken sind anfangs schwierig zu erkennen. Zählen Sie vorher durch, um keine zu übersehen. Dann stechen Sie die Stricknadel durch die erste Randmasche [2] und holen Sie den Faden wie bei einer *rechten Masche* von hinten nach vorne [3]. Dies wiederholen Sie so lange, bis auf der Nadel ebenso viele Anschlagsmaschen liegen, wie der linke Patch Randmaschen hat. Danach können Sie den nächsten Patch normal weiterstricken.

PATCH VON RECHTS ANSTRICKEN

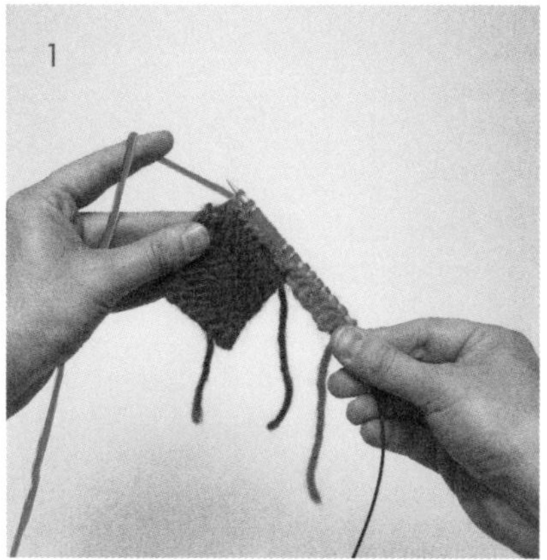

Nach dem Herausstricken aus den Randmaschen von Patch 1 Patch 2 fortsetzen

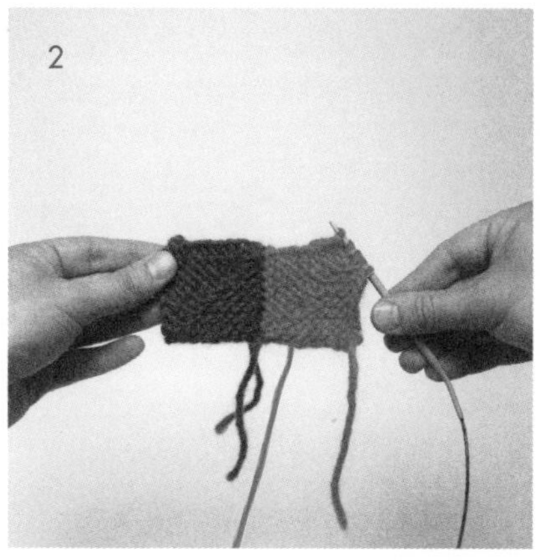

Auf der Rückreihe immer die mittleren drei Maschen zusammenstricken

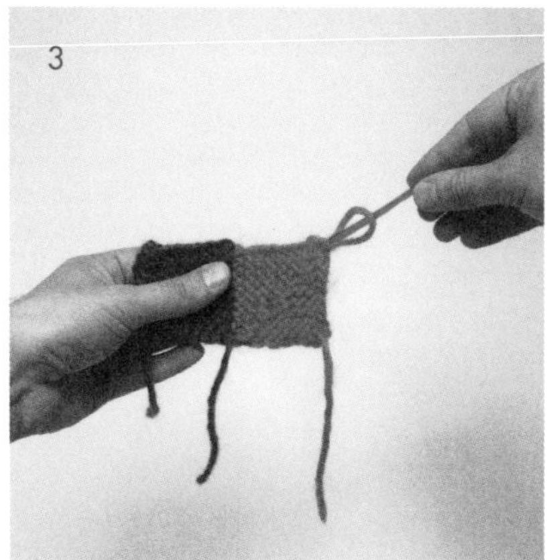

Nach Zusammenstricken der letzten drei Maschen Faden durch die verbleibende Masche ziehen

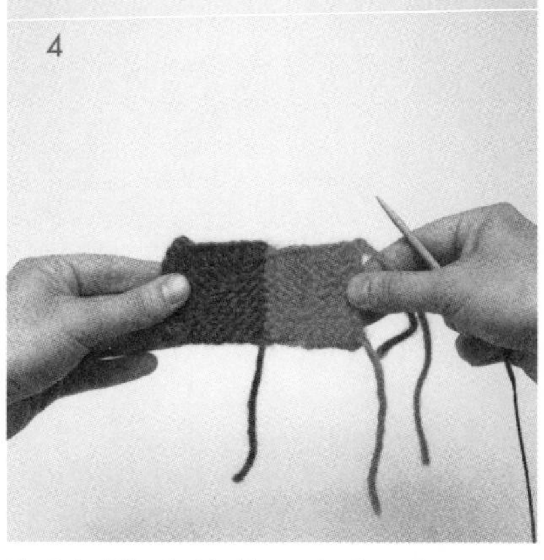

Identische Höhe der Nachbarpatches kontrollieren

Um einen Nachbarpatch von *rechts* anzustricken, legen Sie Patch 1 in Strickrichtung vor sich hin. Von Patch 2 nehmen Sie zuerst normal die Anfangsmaschen auf, jedoch nur bis zur Patchmitte. Ab da stricken Sie die restlichen Anfangsmaschen aus den seitlichen Randmaschen von Patch 1 heraus [1].

Danach stricken Sie den Patch wie gewohnt zu Ende, wobei Sie immer in der Rückreihe die mittleren drei Maschen zusammenstricken [2–4].

PATCH VON OBEN ANSTRICKEN

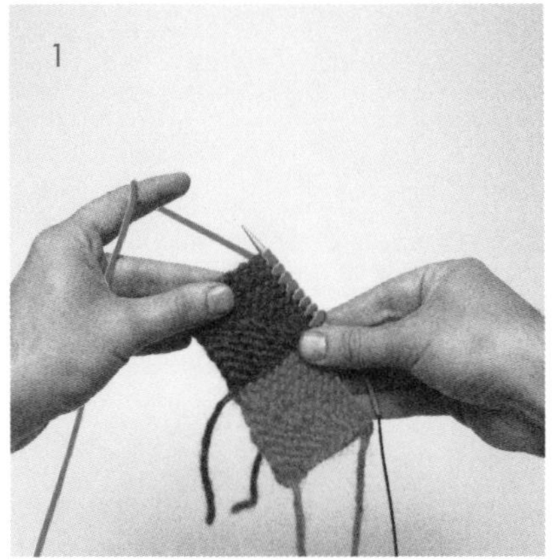

Erste Hälfte der Hinreihe von Patch 3 aus oberem Rand von Patch 1 herausstricken

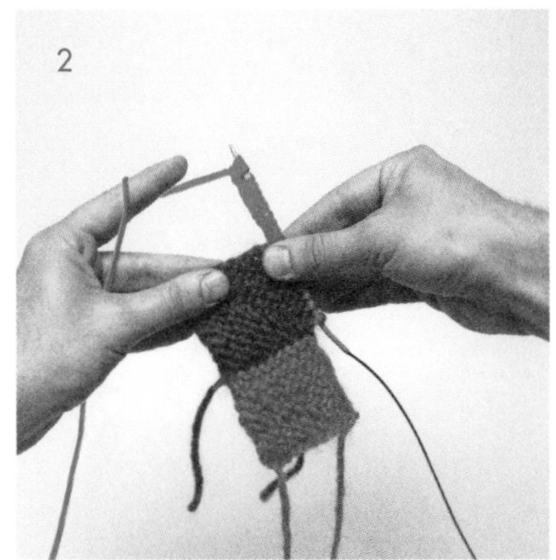

Restliche Maschen von Patch 3 als Anschlagsmaschen

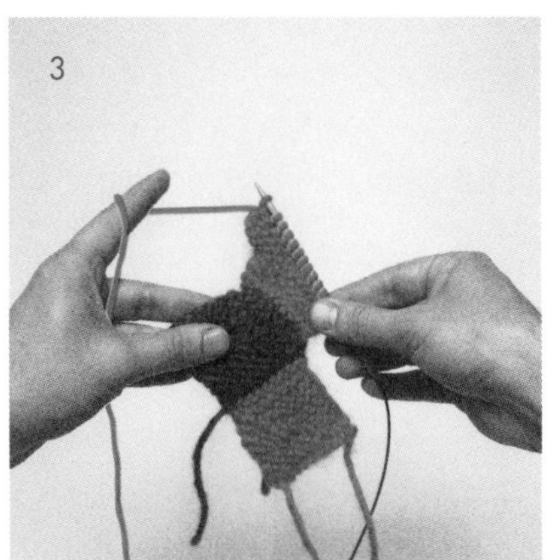

Patch 3 fortsetzen, dabei immer die mittleren drei Maschen der Rückreihen zusammenstricken

Identische Höhe der Nachbarpatches kontrollieren

Bei Patch 3, den Sie von oben an Patch 1 anstricken, gehen Sie umgekehrt vor. Zuerst stricken Sie die Anfangsmaschen aus der oberen Kante von Patch 1 heraus [1]. Die zweite Hälfte der Anschlagsmaschen von Patch 3 stricken Sie als normale Anschlagsmaschen [2]. Danach stricken Sie den Patch normal zu Ende [3 – 4].

Die Vorgehensweise bei Patch 4 ist wieder identisch mit Patch 2. Da Patch 5 an beiden Seiten an bestehende Patches anschließt, stricken Sie hier alle Anschlagsmaschen aus den Rändern von Patch 2 und 3 heraus. Patch 6 ist wieder identisch mit Patch 3.

HEBEMASCHEN

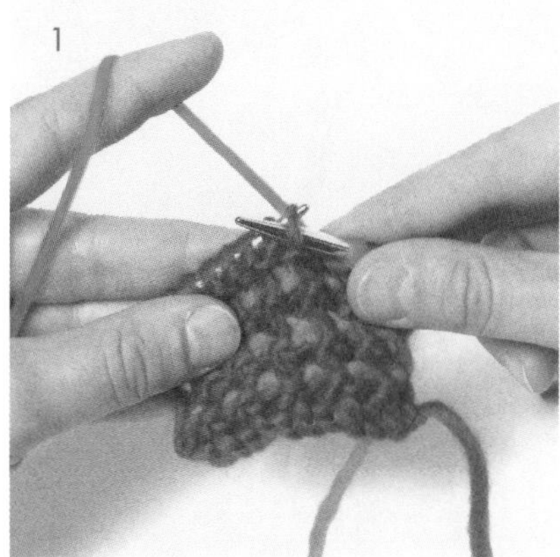

Auf Hinreihe Faden hinten lassen, in Masche einstechen

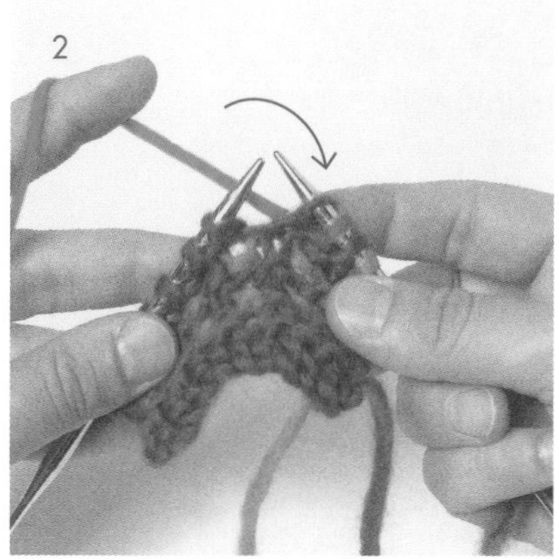

Faden auf rechte Nadel heben, ohne zu stricken, danach eine *rechte Masche* stricken

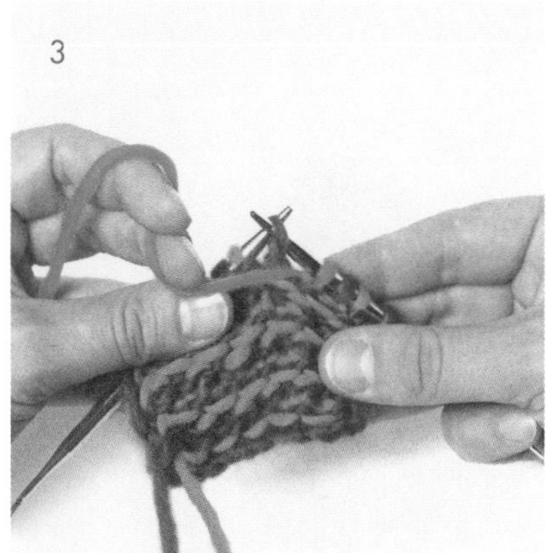

Auf Rückreihe Faden nach vorne, in Masche einstechen

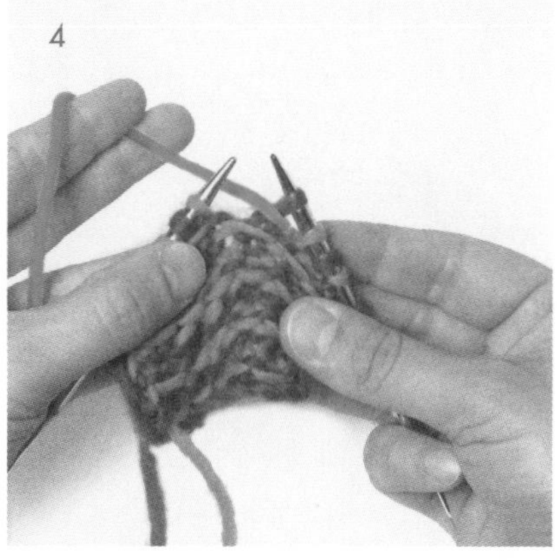

Faden auf rechte Nadel heben, ohne zu stricken, danach Faden nach hinten und eine *rechte Masche* stricken

Für Hebemaschen übernehmen Sie einfach die Masche auf die rechte Nadel, ohne sie zu stricken [1–2]. Den nicht gestrickten Faden lassen Sie auf der Hinreihe locker hinter der Arbeit weiterlaufen.

Auf der Rückreihe halten Sie bei der Hebemasche den nicht gestrickten Faden vor der Arbeit [3] (sonst spannt er sich später vor der Hebemasche) und heben die Masche über. Für die anschließende *rechte Masche* halten Sie den Faden wieder auf die Vorderseite [4].

ANEINANDERSTRICKEN

Um Einzelstücke nachträglich zu verbinden, stricken Sie mit einer Rundstricknadel einen neuen Faden aus den Randmaschen der beiden Seiten heraus [1–2]. Halten Sie den Faden zwischen den beiden Teilen möglichst kurz. Dann legen Sie die beiden angestrickten Buchstaben passgenau aufeinander, sodass alle Anschlagsmaschen übereinanderliegen [3].

Nun stricken Sie immer gleichzeitig aus je einer Anschlagsmasche der beiden Buchstaben heraus [4]. Das Zusammenstricken ist wie normales Abstricken: Wenn Sie zwei Maschen gestrickt haben, stülpen Sie die erste über die zweite [8]. Dies wiederholen Sie bis zur letzten Masche. Je nachdem, ob Sie *rechts auf rechts* oder *links auf links* abstricken, erscheint die Abschlussnaht auf der Vorder- oder Rückseite.

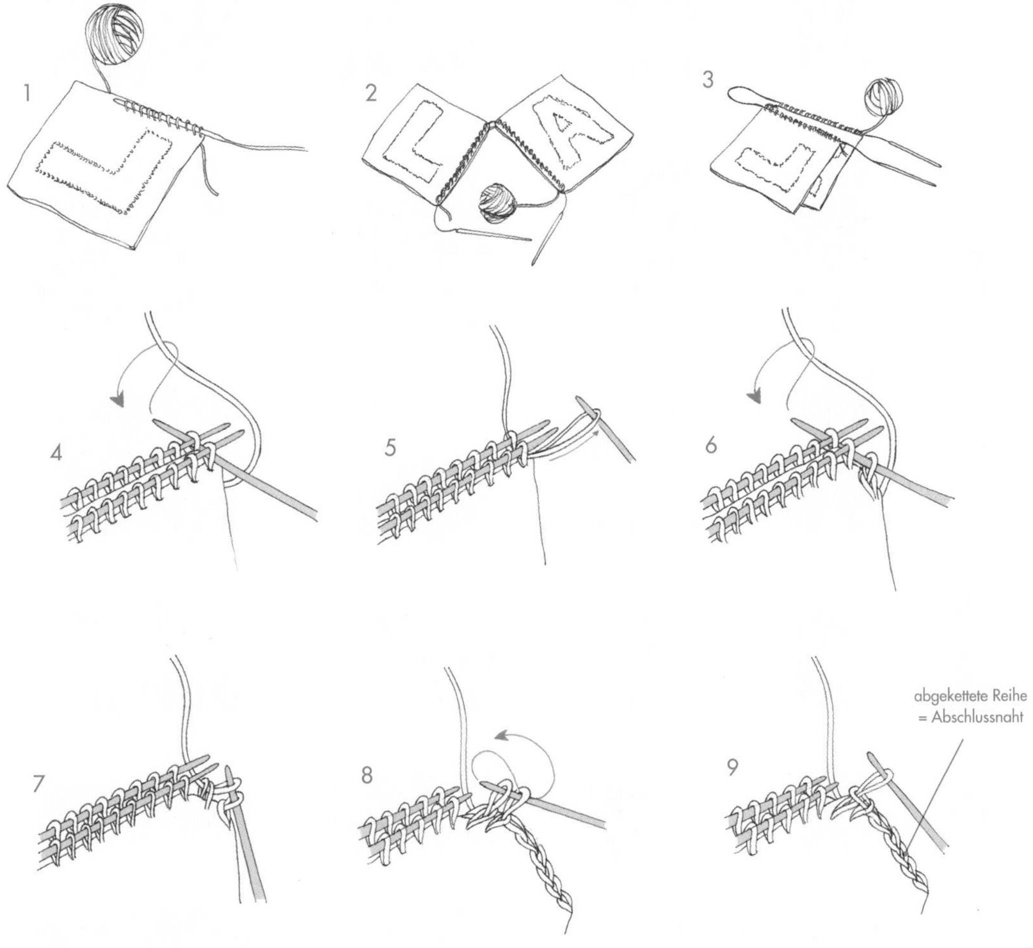

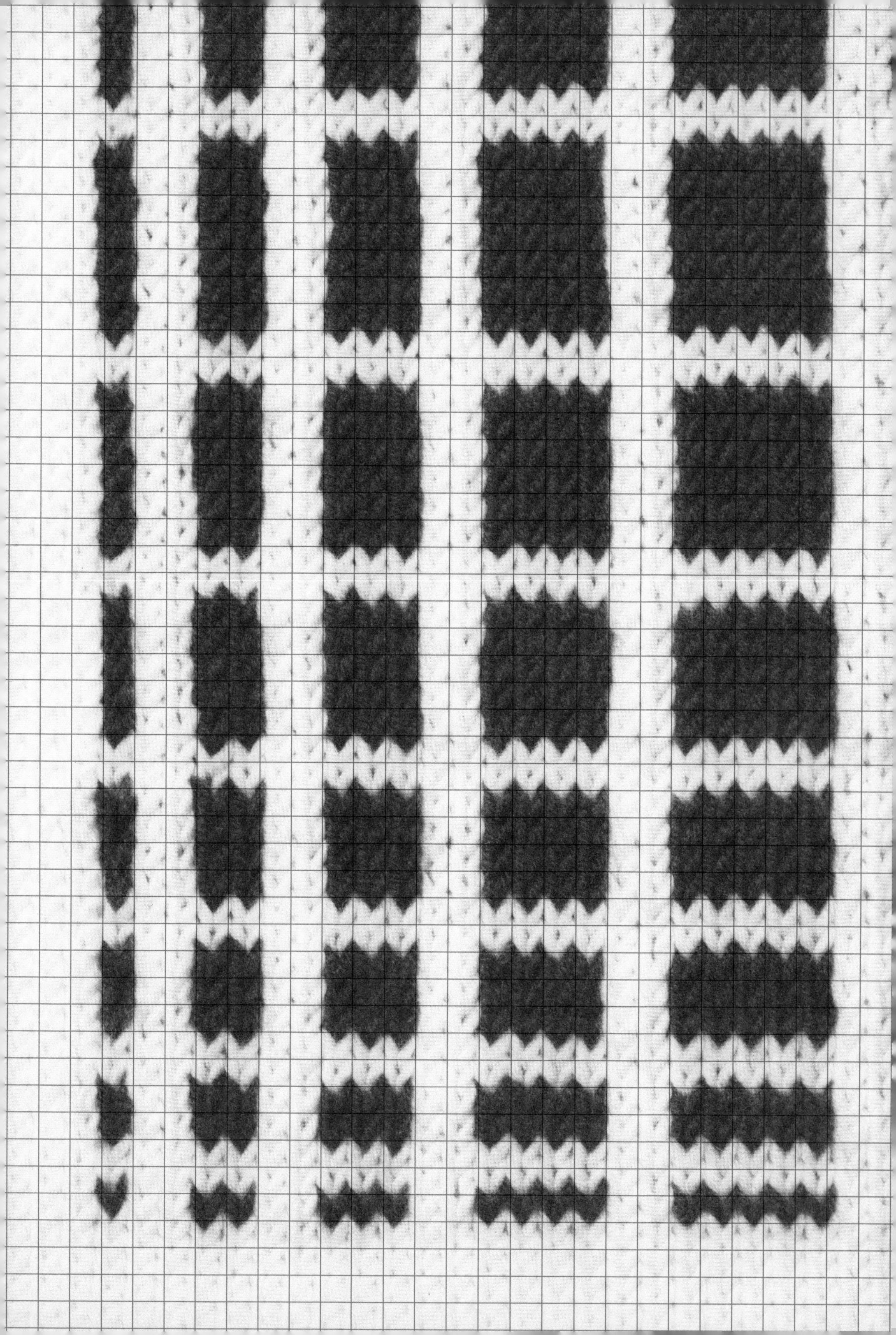

II.

PIXEL

Pixelschriften mit zwei- oder mehrfarbigen Intarsien, Jacquard oder Double-Face

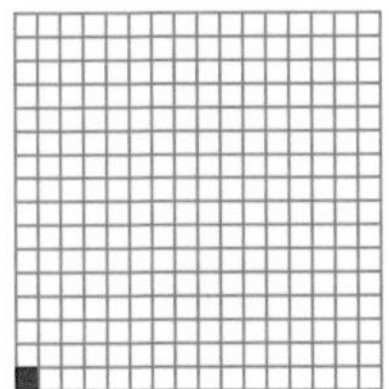

Maschenbasiertes Stricken ist die einfachste Grundform des Buchstabenstrickens, bei dem das Maschenbild visuell besonders dominant wird. Pixelschriften erhalten durch die Übersetzung in die zwei- oder mehrfarbige Intarsienstrickerei einen verrauschten, post-digitalen Charakter.

ZWEIFARBIGE MOTIVE

Beim Stricken in *glatt rechts* ist das Einfügen von Farbwechseln denkbar simpel. Für den Farbwechsel lassen Sie Faden 1 einfach hängen und stricken mit Faden 2 weiter. Zur Vereinfachung können Sie vorher Faden 2 locker an Faden 1 anknoten. Bei kleinformatigen Schriften ist zu beachten, dass die Masche eine rechteckige Grundform hat. [→ S. 20]

Um ein Gefühl für das Gestrick zu erhalten, ist es hilfreich, wenn Sie vorab eine Maschenprobe mit Intarsien in verschiedenen Seitenverhältnissen stricken. Intarsienstricken ist prinzipiell mit unbegrenzt vielen Fäden möglich. Je mehr Fäden Sie verwenden, desto schneller entsteht jedoch ein Fadengewirr.

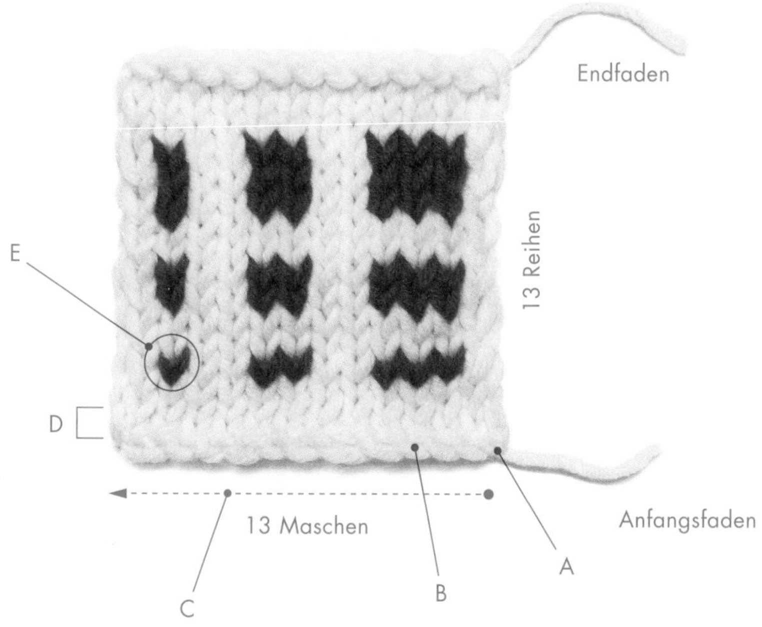

A Anfangsschlaufe
B Anschlagsmaschen
C Strickrichtung
D Randmasche Reihe 1 und 2
E Intarsie mit Farbe 2

1

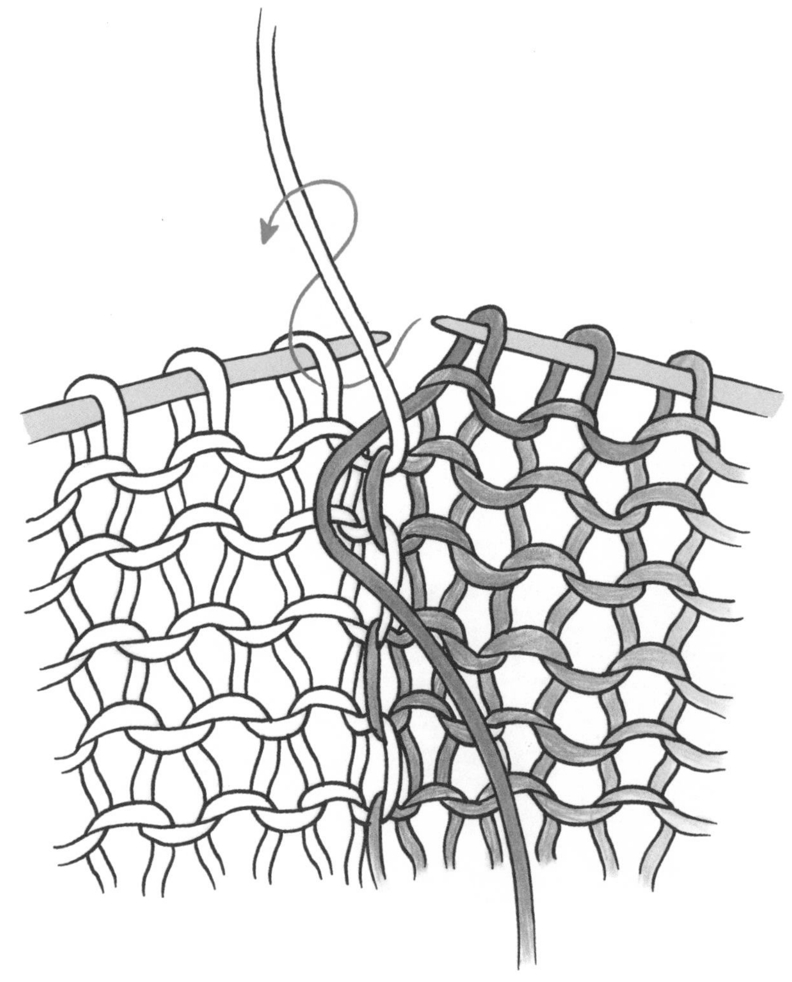

FARBWECHSEL

Für den Farbwechsel bei *rechten Maschen* legen Sie Faden 2 hinter die Arbeit und knoten ihn locker an Faden 1 an. Dies ist für Profistricker zwar ein Tabu, kann aber am Anfang helfen. Lassen Sie ruhig ein loses Ende von 4 cm, um später nachziehen zu können. Bei der Rückreihe mit *linken Maschen* legen Sie den neuen Faden vor die Arbeit [1].

Bei jedem Farbwechsel verschränken Sie die beiden Fäden, da sonst an dieser Stelle ein »Poncho«-artiger Schlitz entsteht. Achten Sie außerdem darauf, die Spannfäden möglichst locker zu halten, da sich die Arbeit sonst verzieht.

RÜCKSEITEN

Den Rückfaden können Sie auf verschiedene Arten laufen lassen, die je nach Vorlage die Arbeit vereinfachen. Bei *Jacquard* spannen Sie die Fäden auf der Rückseite. Für großflächige *Intarsien* vermeiden Sie Spannfäden, indem Sie mit mehreren Knäuel arbeiten. So bleibt das Gestrick dünner und Sie verbrauchen weniger Wolle.

Zwei fortgeschrittenere Methoden sind zum einen das Verweben der jeweils nicht genutzten Rückfäden. Damit erhalten Sie ein interessantes Muster, das regelmäßig gestrickt sogar als Vorderseite dienen könnte. Mit *Double-Face* vermeiden Sie Rückfäden sogar komplett.

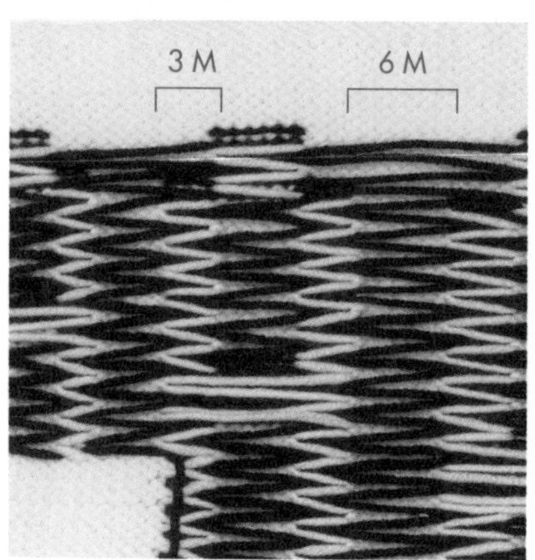

RÜCKFÄDEN SPANNEN: JACQUARD

Wenn Sie bei mehrfarbigen Motiven den gerade nicht genutzten Faden auf der Rückseite hängen lassen [1], spannt er sich bis zur nächsten gestrickten Position. Bei Kissen ist das kein Problem, bei Pullovern sollten Spannfäden nicht mehr als fünf Maschen überbrücken, da Sie sonst darin hängen bleiben. Achten Sie auch darauf, die Spannfäden locker zu halten, sonst ziehen sie das Gestrick zusammen.

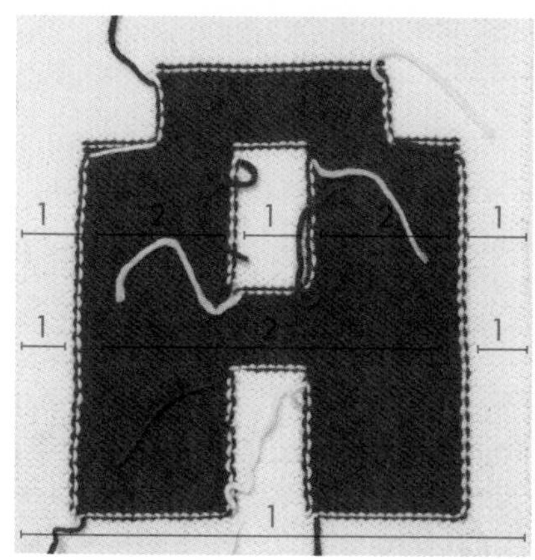

RÜCKFÄDEN VERMEIDEN: INTARSIEN

Um gespannte Rückfäden zu vermeiden, können Sie pro Farbabschnitt je ein Knäuel verwenden [2]. Dies lohnt sich eher für großflächige Motive, hängt aber auch vom Buchstaben ab. Beim »A« benötigen Sie bis zu drei Knäuel Farbe 1 und zwei Knäuel Farbe 2. Bei Buchstaben mit mehr vertikalen Stämmen, zum Beispiel einem »M«, sind es stellenweise schon fünf Knäuel Farbe 1 und vier Farbe 2.

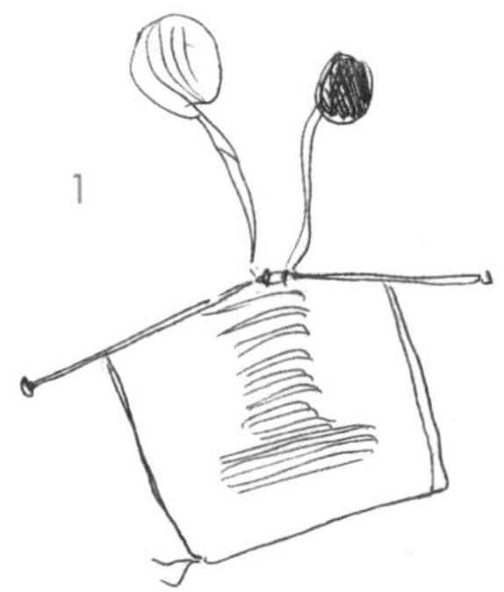

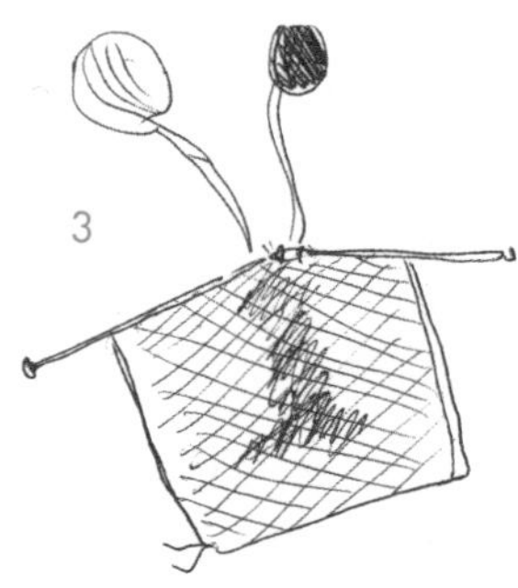

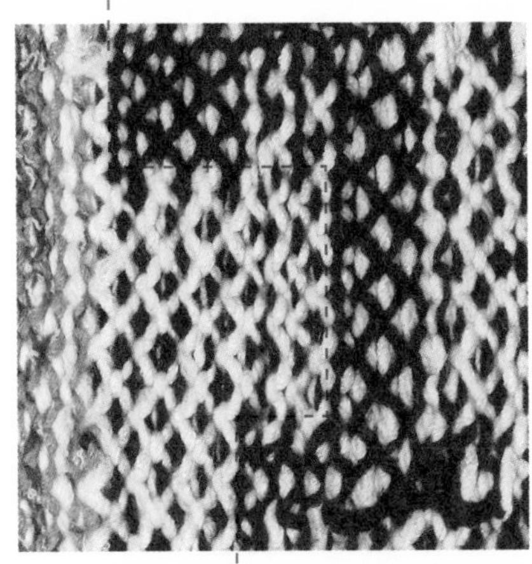

RÜCKFÄDEN EINWEBEN

Zum Einweben der Rückfäden [3] legen Sie die jeweils nicht genutzten Fäden auf der Rückseite beim Stricken einmal vor und einmal hinter die Nadel, während Sie den Faden holen. Dadurch bildet sich auf der Rückseite ein diagonales Gittermuster, in dessen Zwischenräumen die eingewobenen Fäden aufblitzen. Hierbei verdickt und verfestigt sich das Gestrick. Je nach Genauigkeit können Sie die eingewebte Seite auch zur Vorderseite erklären.

Vorderseite

Rückseite

RÜCKSEITEN INVERTIEREN: DOUBLE-FACE

Beim *Double-Face* stricken Sie Ihr Motiv parallel in zwei Farben, einmal auf der Vorder- und einmal auf der Rückseite. Ist der Buchstabe auf der Vorderseite dunkel auf hell, ist das auf der Rückseite genau umgekehrt. Hierdurch wird das Gestrick doppelt so dick, lässt sich aber auch wenden.

PIXELSCHRIFTEN MODIFIZIEREN

Wollen Sie ein bestimmtes Seitenverhältnis erreichen, zum Beispiel für Selbu-Handschuhe [→ S. 170] oder für Mützen [→ S. 166], lassen sich bestehende Pixelschriften ganz einfach anpassen. Was in der Typografie einigen als Tabu gilt, können Sie beim Stricken als Stilmittel anwenden: Verzerrung, unregelmäßige Modifikation, Copy-and-paste.

Dabei können Sie Höhe und Breite gleichmäßig oder verschieden skalieren, als Ganzes oder in Abschnitten, Musterrapporte erzeugen oder eine Schrift als Ausgangspunkt für eine ornamentale Grafik verwenden. So wird Ihre Schrift mehr und mehr zum Muster oder zu einem Geheimtext.

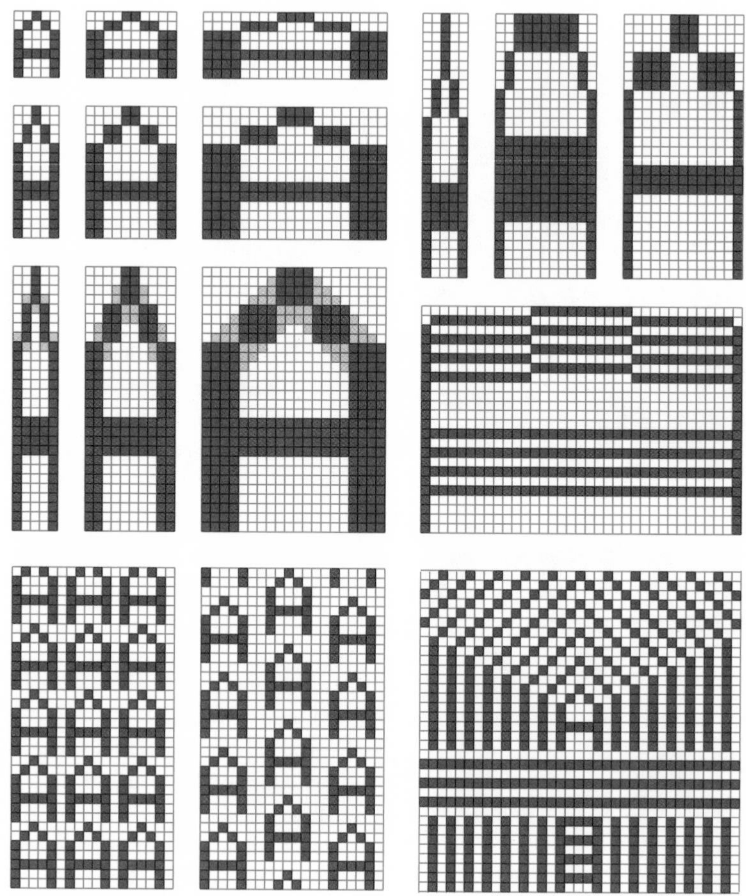

Variationen *Print Char 21* [→ S. 188]

SCHRIFT: KK FIXED [→S. 132]
TECHNIK: INTARSIEN, *GLATT RECHTS* + MASCHENSTICH

OUTLINES UND SCHATTENKANTEN

Zusätzliche Elemente wie Akzentlinien oder Schattenkanten lassen sich auch nachträglich einarbeiten. Um sich optimal ins Maschenbild einzufügen, wird das Garn mit einer stumpfen Nadel entlang des kurvenförmigen Fadenlaufs mit Maschenstich aufgestickt. Alternativ können Sie auch Kettmaschen mit Häkelnadel oder einem Knüpfhaken aufhäkeln.

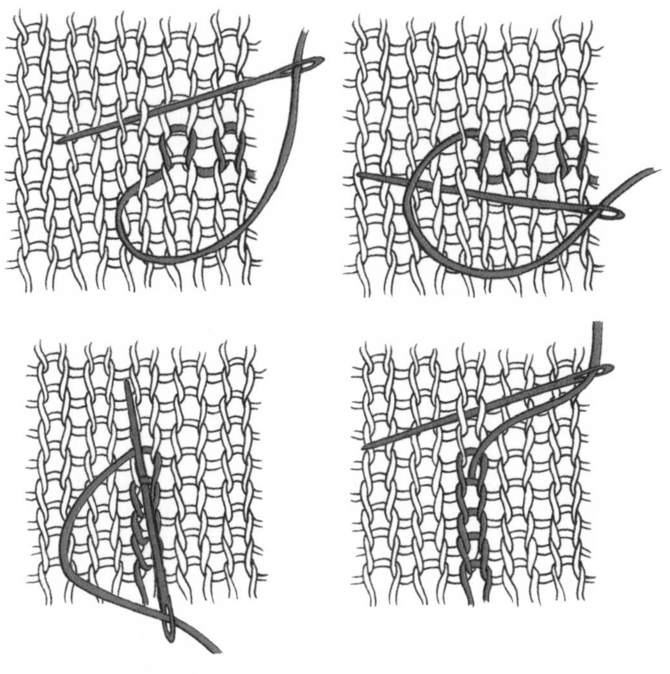

BUCHSTABEN AUFSTICKEN

Mit wenig Aufwand können Sie auch ganze Buchstaben auf Strickkleidung applizieren. Schneiden Sie eine Papiervorlage aus und platzieren diese, markieren Sie die Umrisse mit einem Nähgarn, das sich farblich gut vom Untergrund absetzt. Dann sticken Sie erst den Innenteil des Buchstabens und dann die Outline. Hierfür stehen Ihnen mehrere Techniken zur Verfügung: Stielstich, Kettstich oder eine Häkellinie aus Kettmaschen.

SCHRIFT: LO-RES 9 NARROW BOLD (EMIGRE) [→ S. 212]
TECHNIK: INTARSIEN, *GLATT RECHTS* + MASCHENSTICH

SKALIEREN MIT KOMBINIERTEN GARNEN

Um eine einfache Skalierung zu erzielen, können Sie die Anzahl der Garne erhöhen und mit einer entsprechend dickeren Nadel stricken. Dies können Sie besonders dazu nutzen, verschiedene Garnsorten zu kombinieren, Reste aufzubrauchen oder unterschiedliche Texturen zu verbinden.

Je nach Anzahl der Garne erhalten Sie dabei ein entsprechend dickeres Gestrick, was sich vor allem bei Winterpullovern, Kissen und Decken anbietet. Möchten Sie den mehrfarbigen Effekt auch für feinere Sachen erzielen, verwenden Sie entsprechend dünneres Garn.

1 Faden
Nadel ø 4.5

2 Fäden
Nadel ø 7

3 Fäden
Nadel ø 9

MASCHENRASTER AUSGLEICHEN

Um Pixelschriften an das Maschenraster anzupassen, können Sie das Seitenverhältnis anhand einer Maschenprobe von 10×10 cm ermitteln. Eine Maschenprobe mit 20 Maschen in der Breite und 30 Reihen in der Höhe hat ein Seitenverhältnis von 2:3. Um dies auszugleichen, müssen Sie die Vorlage vertikal um 150 % skalieren.

Um eine Schrift direkt visuell anzupassen, können Sie auch auf einer Folie direkt über der Maschenproben skizzieren.

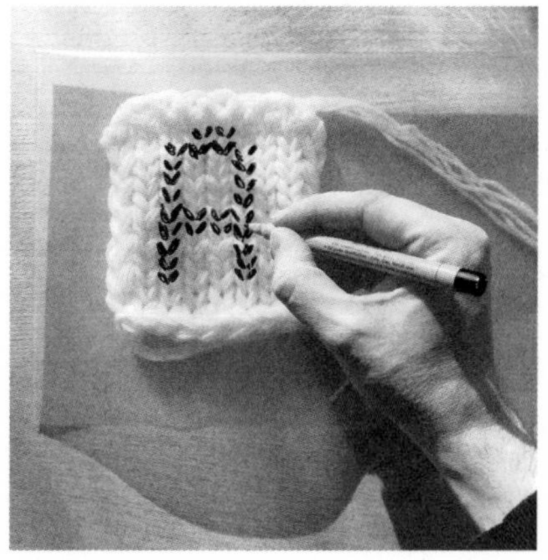

SCHRIFT: GEM DESKTOP 2.0 [→S. 192]
TECHNIK: JACQUARD, *GLATT RECHTS*

GRAUSTUFEN DURCH MASCHENMUSTER

Eine Pixelvorlage mit *Antialiasing* (Kantenglättung durch zusätzliche Graustufenpixel) können Sie skalieren, indem Sie die einzelnen Pixel in Flächen mit verschiedener Musterung übersetzen.

Hierfür legen Sie Muster mit entsprechenden Helligkeitsstufen fest und weisen diese Muster den Graustufen Ihrer Vorlage zu. Achten Sie darauf, dass die Spannfäden zwischen den Farbpunkten maximal über 5 Maschen gehen, sonst bleiben Sie darin hängen. Bei einem Kissenbezug können Sie das ignorieren, weil die Spannfäden später verschwinden.

Mustersegmente können Sie hierbei als Maschenquadrat stricken (9×9 Maschen), so wird das Ergebnis aber etwas breiter als hoch. Um das Seitenverhältnis auszugleichen, machen Sie erst eine Maschenprobe und gleichen dann die Vorlage an (z. B. 1 Segment = 10 Maschen × 14 Reihen). Der Musterrapport innerhalb der Segmente bleibt dabei unverändert.

Ist Ihnen das maschenbasierte Stricken solcher feiner Muster zu kompliziert, dann können Sie die gleiche Pixelvorlage auch patchbasiert stricken [→ S. 136].

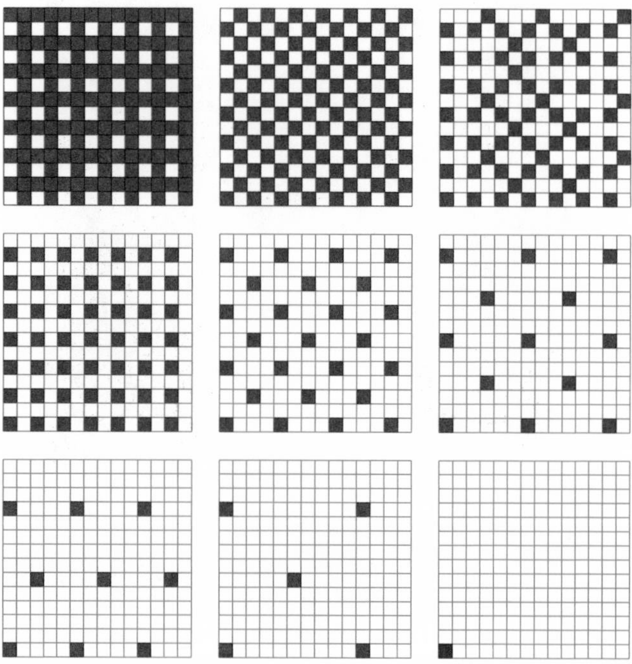

SCHRIFT: HELVETICA 8 PT (SCREENSHOT)

III.

PATTERN

Musterbetonte Grundraster
für konstruierte und Dot-Matrix Schriften
mit Farbwechseln und Hängemaschen

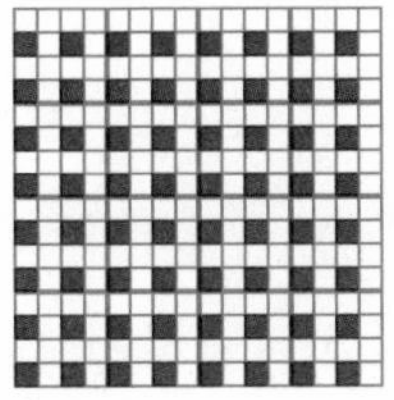

Patternbasiertes Stricken eignet sich besonders für Strickobjekte mit Fernwirkung, sowohl für klein- als auch großformatige Schriften. Durch den gezielten Einsatz von Farbkombinationen können Sie visuelle Effekte erzeugen, zugleich erhalten Sie eine besonders prägnante Haptik.

DIAGONAL STRIPE

Diagonal Stripe ist ein vertikal gestricktes Muster, mit dem Sie auf einfache Weise ein diagonal geprägtes Gestaltungsraster erzielen. Sie stricken dabei eine ungerade Anzahl von Doppelreihen abwechselnd in *kraus rechts* und *glatt rechts.* Dadurch wird eine Grundfläche von beispielsweise 13 Maschen x 13 Doppelreihen (26 Maschenreihen) in etwa quadratisch.

Sie verwenden drei Farben: die ungeraden Doppelreihen (1, 3, 5 ...) stricken Sie durchgehend *kraus rechts* in Farbe 1. Die geraden Doppelreihen (2, 4, 6 ...) stricken Sie *glatt rechts* und wechseln dabei zwischen Farbe 2 und 3.

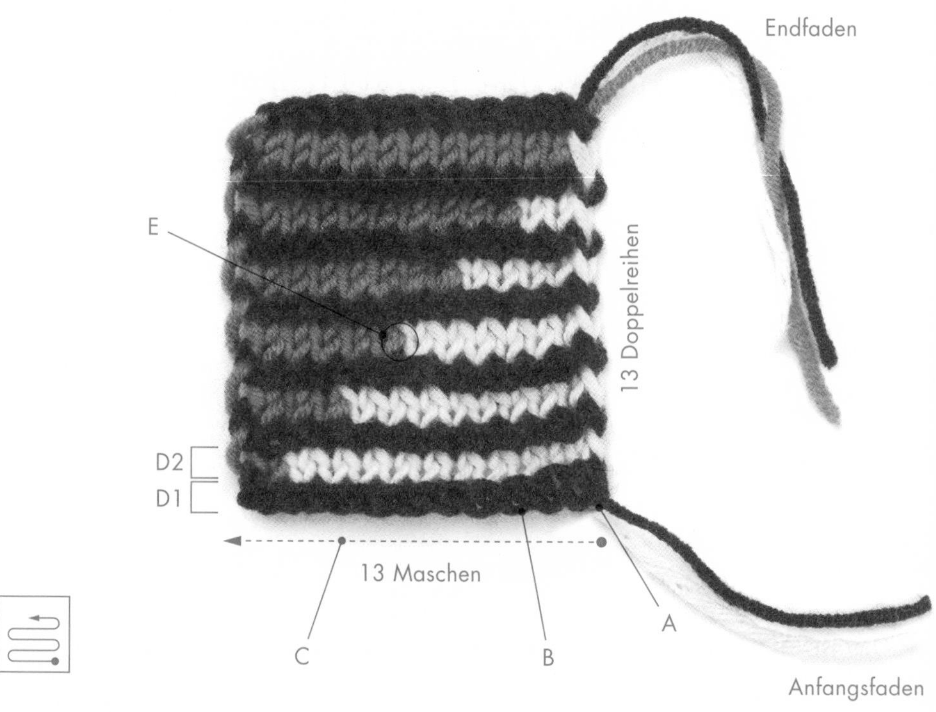

A Anfangsschlaufe
B Anschlagsmaschen
C Strickrichtung
D1 Randmasche Doppelreihe 1 *(kraus rechts)*
D2 Randmasche Doppelreihe 2 *(glatt rechts)*
E Farbwechsel Farbe 2 zu Farbe 3

RASTERVARIANTEN

Ein Gestaltungsraster für die Diagonalen erhalten Sie, indem Sie das Maschenformat in horizontale und vertikale Abschnitte aufteilen. Ein Vorteil der Diagonalen ist, dass Sie nicht ständig Maschen zählen müssen, da der Zuwachs regelmäßig ist. Natürlich können Sie mit etwas mehr Zählaufwand auch runde oder freie Formen erzielen.

MASCHENRASTER UND ENTWURFSRASTER

Bei Diagonal Stripe verwenden Sie drei Farben: Farbe 1 bildet ein Gitter, das Sie durchgehend auf allen ungeraden Doppelreihen stricken. Mit den Farben 2 und 3 bilden Sie den eigentlichen Buchstaben auf allen geraden Doppelreihen. Alle ungeraden Doppelreihen stricken Sie *kraus rechts*, alle geraden *glatt rechts*, wodurch das Gitter hervorsteht und einen zusätzlichen haptischen Effekt mit Schattenspiel erzeugt.

Bei der Wahl des Maschenrasters suchen Sie ein Format, das genügend Spielraum beim Entwurf der Schriften erlaubt. Sollen die Buchstaben vertikale und horizontale Mittellinien und 4×4 Teilflächen haben, eignen sich zum Beispiel Maschenraster von 15, 23 oder 31 Maschen Breite. Beachten Sie dabei auch die Größen in Abhängigkeit zur Wollstärke und stricken Sie dabei nicht zu locker.

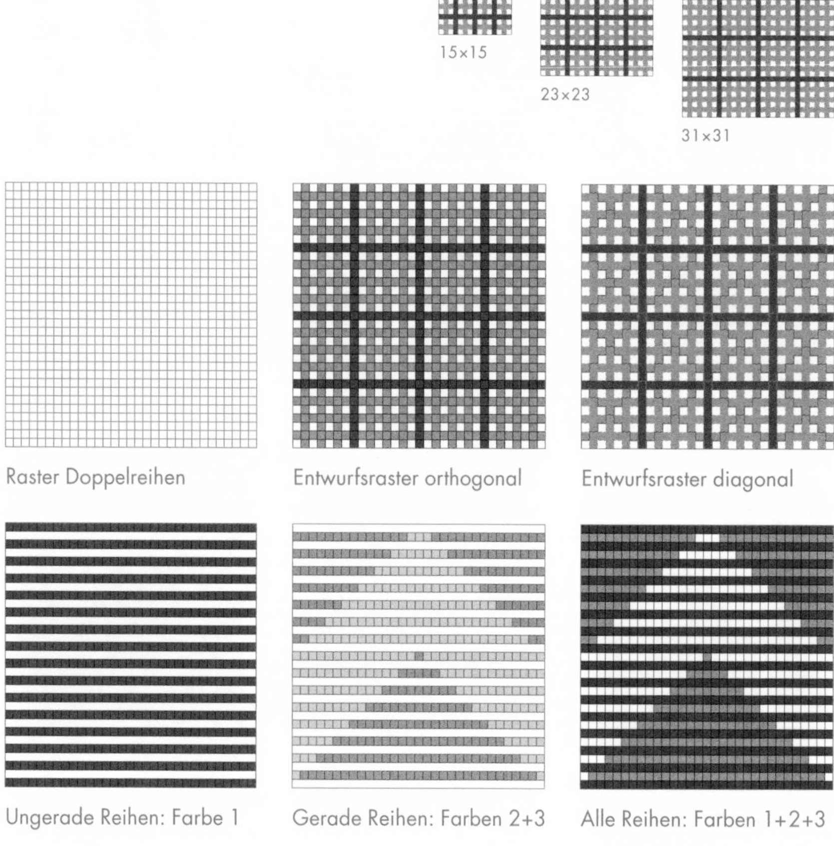

Raster Doppelreihen

Entwurfsraster orthogonal

Entwurfsraster diagonal

Ungerade Reihen: Farbe 1

Gerade Reihen: Farben 2+3

Alle Reihen: Farben 1+2+3

DIAGONAL STRIPE [KNIT]

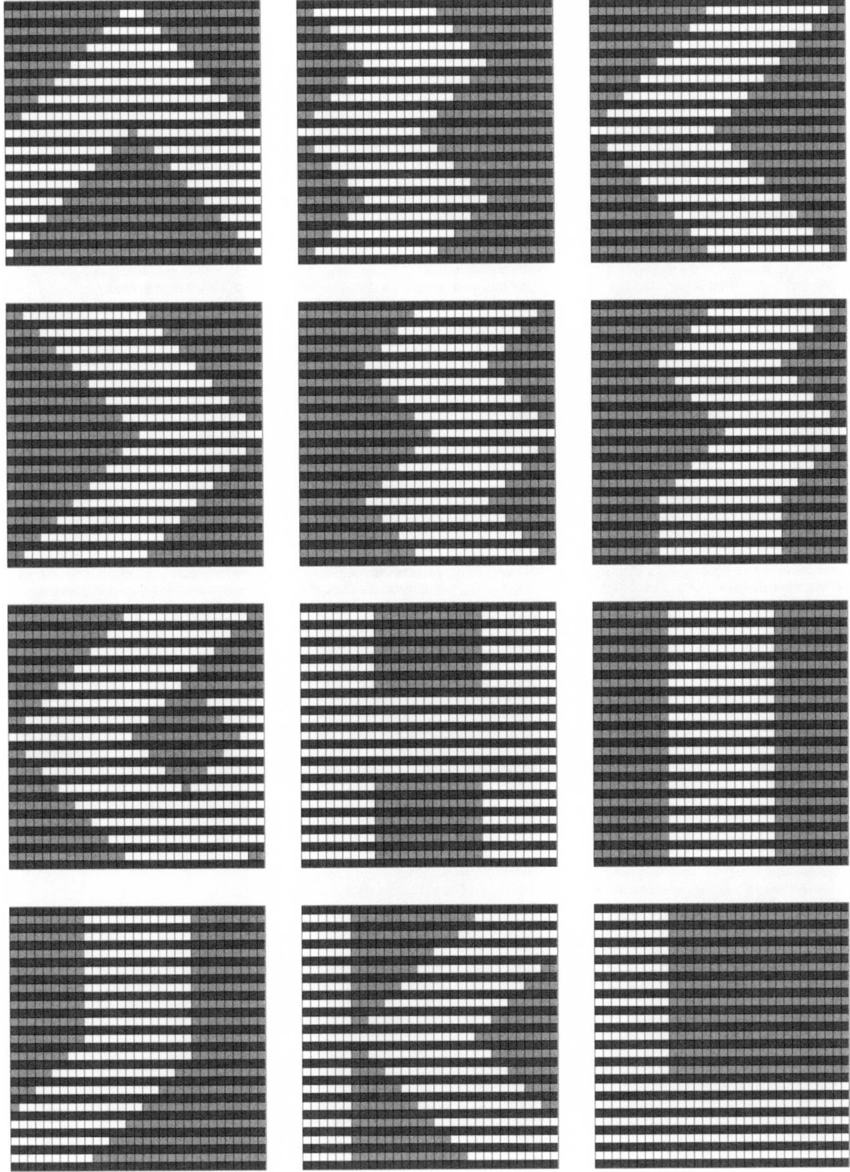

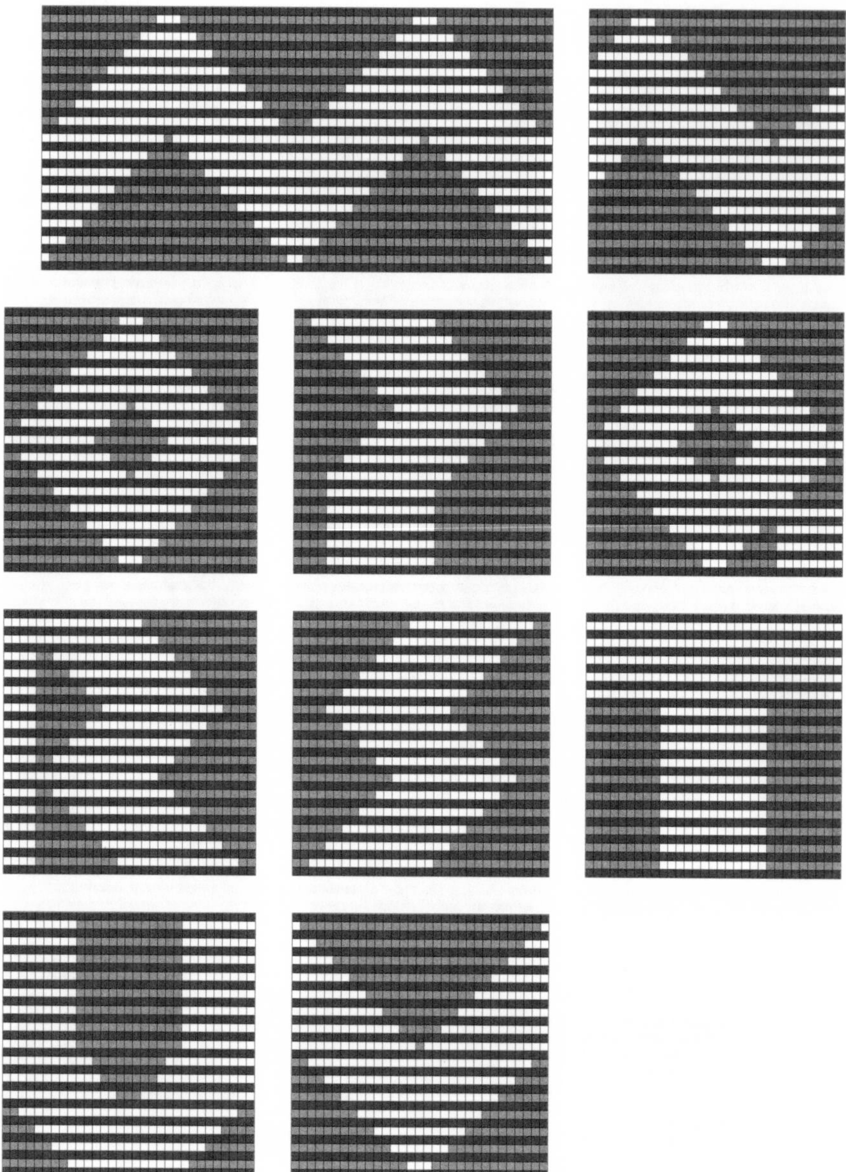

STRUKTUREFFEKTE

Um den Buchstaben als Relief sichtbar zu machen, stricken Sie den Buchstaben nur in Farbe 2 in *glatt rechts* und *kraus rechts*, der Wechsel liegt jeweils auf der Buchstabenkante. Bei den Doppelreihen in Farbe 1 wechseln Sie jeweils entgegengesetzt von *kraus rechts* zu *glatt rechts*. So ist in der direkten Aufsicht fast nur ein Streifenmuster zu sehen. Bei schräger Ansicht werden die Buchstaben erkennbar. Dieses Prinzip wird beim *Illusion Knitting* (oder *Schattenstricken*) ausführlicher gezeigt. [→ S. 174]

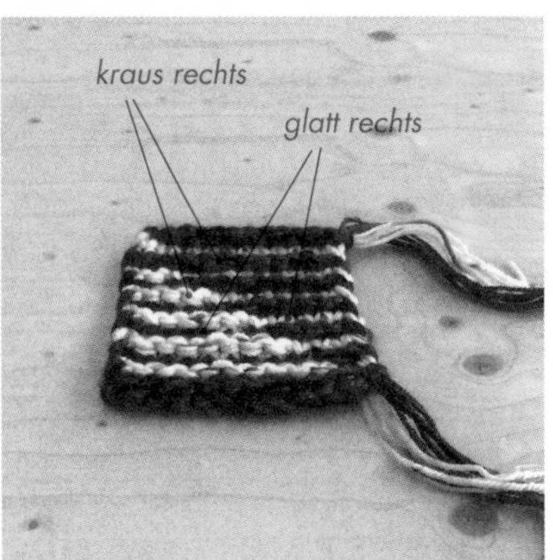

LICHTEFFEKTE

Wenn Sie die Patches abwechselnd um 90° gedreht aneinanderstricken, zum Beispiel bei einer Decke, erhält die gesamte Fläche einen zusätzlichen optischen Effekt, da Licht auf der Struktur unterschiedlich wirkt.

Bei Schriften mit einem Gestaltungsraster mit 45°-Diagonalen erhalten Sie durch die Drehung der Patches zusätzliche visuelle Effekte. Die Einzelteile werden aus dem Rand herausgestrickt oder nachträglich verbunden.

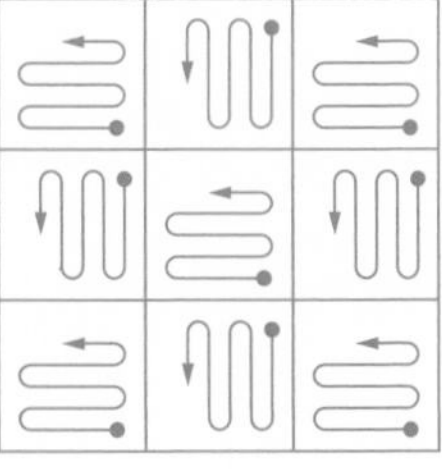

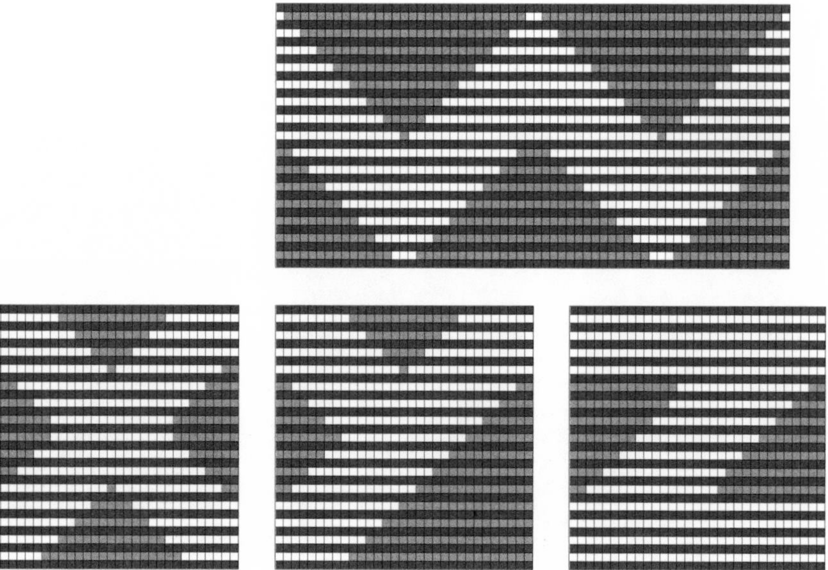

TEXTURVARIANTEN

Mit wenigen Änderungen können Sie bei der gleichen Schriftvorlage ein ganz anderes Ergebnis erzielen. Bei Beispiel [1] ist die Strickrichtung um 90° gedreht, es wurde durchgehend *kraus rechts* gestrickt. Die Buchstabenkontur entsteht durch einen Farbwechsel von Farbe 1 und 3 in den ungeraden Reihen sowie Farbe 2 und 3 in den geraden Reihen. Bei Beispiel [2] bringt ein gemustertes Garn einen unscharfen Effekt, zudem ergibt der Verbindungsstich zwischen den zwei Teilen einen visuellen Akzent.

1

2

SCHRIFT: DIAGONAL STRIPE KNIT [→S. 107]
TECHNIK: DIAGONAL STRIPE [→S. 104]

HEBEMASCHEN ALS LINIEN

Als Grundmuster stricken Sie abwechselnd Doppelreihen in Farbe 1 und Farbe 2. Ungerade Doppelreihen stricken Sie durchgehend *glatt rechts* in Farbe 1. Gerade Doppelreihen stricken Sie *kraus rechts* in Farbe 2. Den Buchstaben bilden Sie mit Hebemaschen innerhalb der ungeraden Doppelreihen in Farbe 1.

Für die Hebemaschen heben Sie die jeweiligen Maschen auf die rechte Nadel herüber, ohne sie zu stricken. In der Rückreihe wiederholen Sie dies und führen dabei den Strickfaden auf der Rückseite der Arbeit weiter (sonst liegt er später vor der Hebemasche). [→ S. 86]

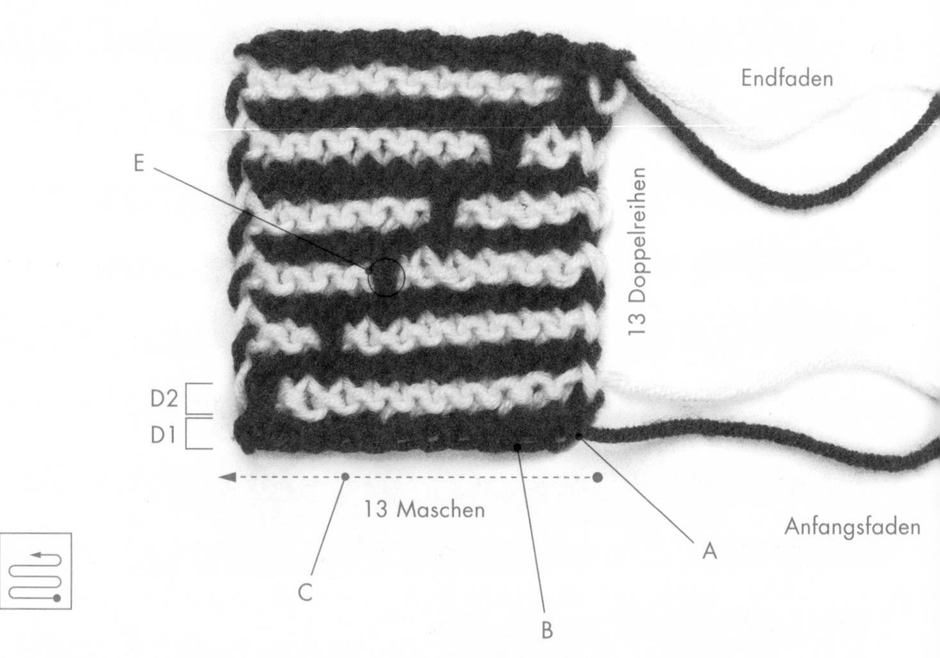

A	Anfangsschlaufe
B	Anschlagsmaschen
C	Strickrichtung
D1	Randmasche für Doppelreihe 1 *(glatt rechts)*
D2	Randmasche für Doppelreihe 2 *(kraus rechts)*
E	Hebemasche in Farbe 1

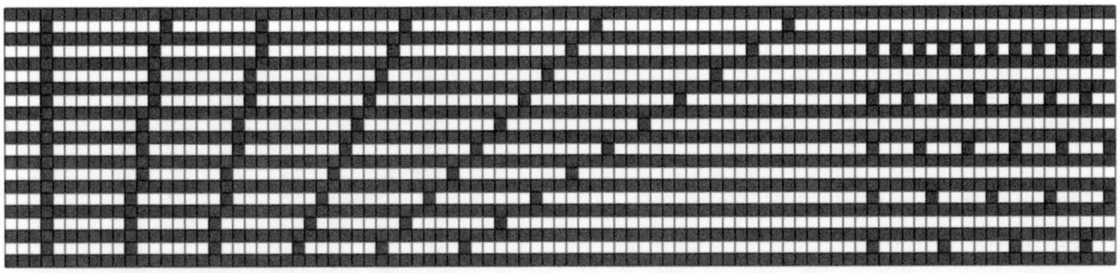

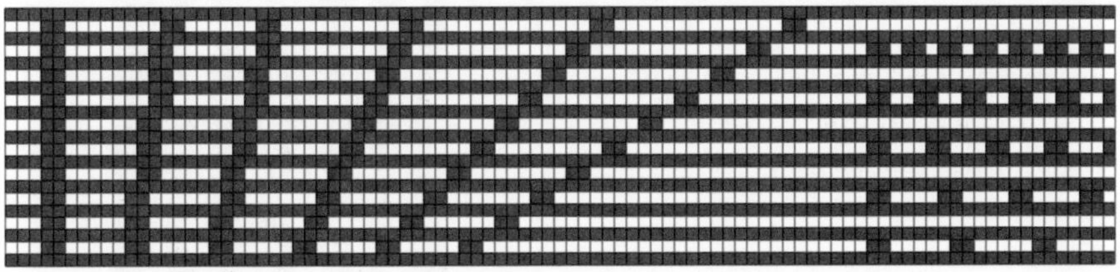

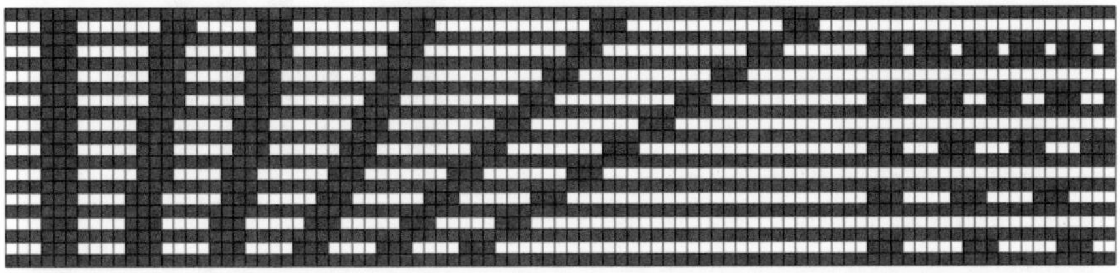

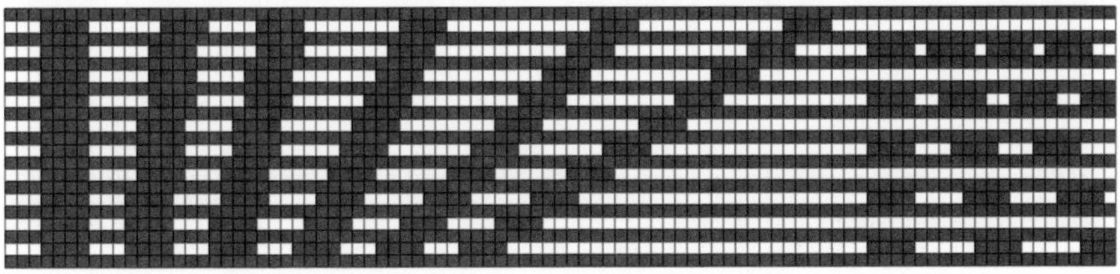

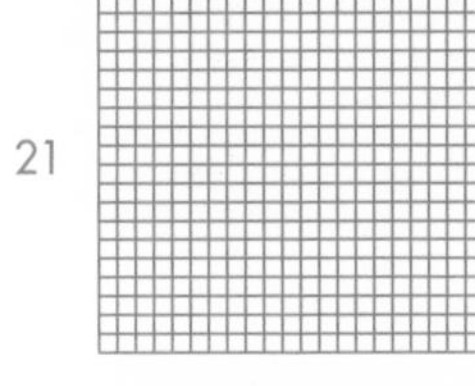

LINIENSTÄRKE UND WINKEL

Um Linienstärken zu variieren, platzieren Sie mehrere Hebemaschen nebeneinander. Beachten Sie dabei, dass diese das Gestrick zusammenziehen, stricken Sie also nicht allzu fest. Horizontale Linien können Sie als Strichellinie anlegen, um nicht durch die Zwischenlinien eine zu starke Horizontale zu erzeugen.

VERSETZTE HEBEMASCHEN

Wenn Sie sowohl aus den geraden und ungeraden Doppelreihen Hebemaschen bilden, erzielen Sie einen Schatteneffekt. Dies ist prinzipiell auch mit drei oder mehr Farben möglich. Um die Orientierung nicht zu verlieren, können Sie zum Beispiel Farbgruppen den gerade oder ungeraden, beziehungsweise den *glatt rechts* oder *kraus rechts* gestrickten Doppelreihen zuordnen.

HEBEMASCHEN RÜCKSEITEN

Bei dieser Strickweise erhalten Sie auf recht einfache Weise visuell interessante Rückseiten. Wenn Sie Motive spiegelverkehrt anlegen, können Sie diese auch als Vorderseite verwenden.

SCHRIFT: FUTUR X [→ S. 202]
TECHNIK: HEBEMASCHEN ALS LINIEN

HEBEMASCHEN ALS RASTER

Für das Grundraster aus Hebemaschen stricken Sie die ungeraden Doppelreihen komplett in Farbe 1 (*kraus rechts*). Die geraden Doppelreihen stricken Sie in Farbe 2 (*kraus rechts*), jedoch heben Sie alle ungeraden Maschen auf die rechte Nadel, ohne eine Masche herauszustricken (dies sind die Hebemaschen, mit denen Sie das vertikale Raster bilden). Am Ende der Hinreihe haben Sie abwechselnd Farbe 1 und 2 auf der Nadel.

Auf der Rückreihe wechseln Sie wieder ab: Alle ungeraden Maschen (dunkel / 1) heben Sie auf die rechte Nadel, ohne eine Masche herauszustricken. Alle geraden Maschen (hell / 2) stricken Sie mit der gleichen Farbe (*rechts*). Beim Überheben der ungeraden Hebemaschen wird der Faden zum Körper gehalten, sonst liegt er später auf der Vorderseite. Haben Sie dieses Muster verinnerlicht, können Sie in den geraden Doppelreihen nun Farbe 3 (identisch mit Farbe 2) hinzufügen, um einen Buchstaben zu formen.

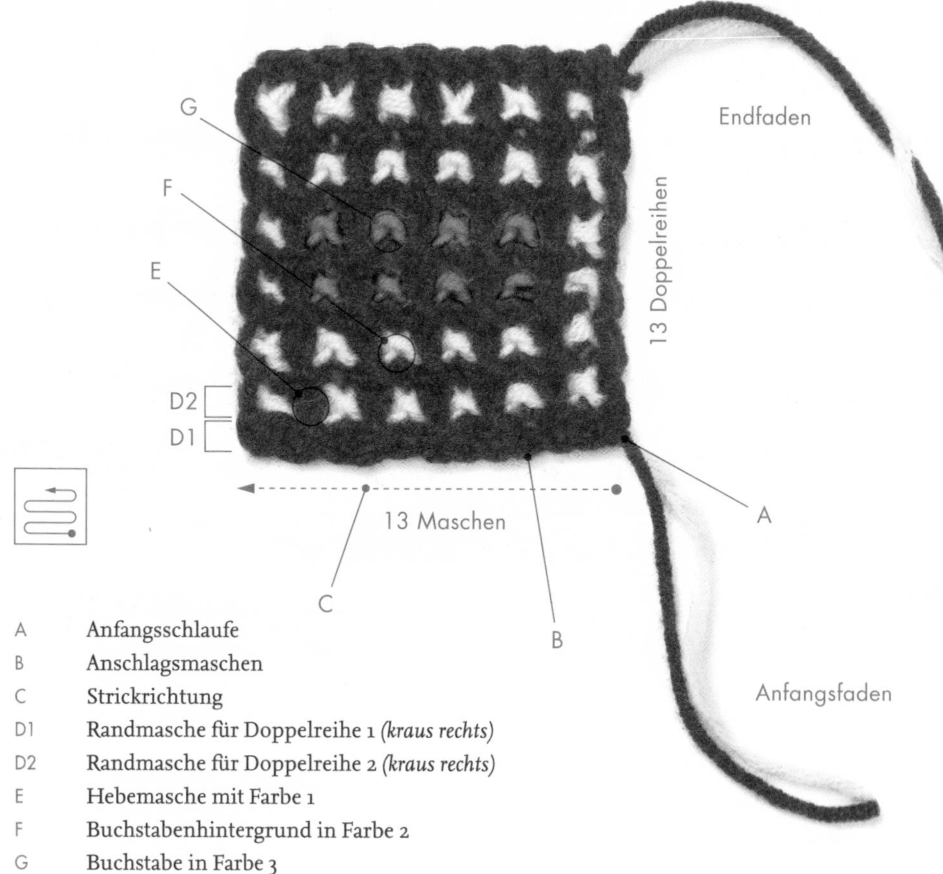

A Anfangsschlaufe
B Anschlagsmaschen
C Strickrichtung
D1 Randmasche für Doppelreihe 1 *(kraus rechts)*
D2 Randmasche für Doppelreihe 2 *(kraus rechts)*
E Hebemasche mit Farbe 1
F Buchstabenhintergrund in Farbe 2
G Buchstabe in Farbe 3

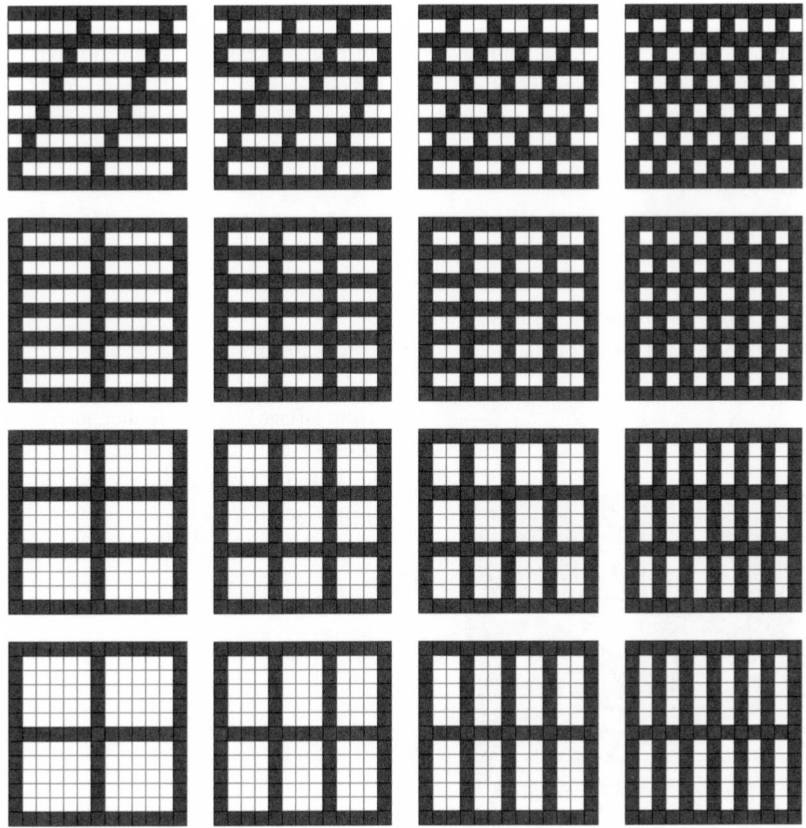

13

13

MUSTERVARIANTEN

Durch einen abwechselnden Rhythmus der Doppelreihen und der darin liegenden Hebemaschen können Sie das Grundraster beliebig variieren. Im fortgeschrittenen Modus können Sie auch noch die Hebemaschen zueinander versetzen, zum Beipiel zum Stricken kursiver Dot-Matrix Schriften.

SCHRIFTARTEN UND SPANNFÄDEN

Grundraster aus Hebemaschen sind als Technik relativ zeitintensiv und eignen sich eher für Fortgeschrittene. Da parallel das Hebemaschenraster aus Farbe 1 und die dahinter liegenden Buchstaben aus Farbe 2 und 3 gestrickt werden, wird es leicht etwas unübersichtlich. Beachten Sie hierbei besonders, dass die Farben 1 und 2 identisch sind, damit die Struktur auch an Stellen ohne Schrift gleich bleibt.

Je nachdem, welche Schrift Sie verwenden und ob Sie einen Einzelbuchstaben [1], einen Textblock [2] oder ein Musterrapport [3] stricken, entstehen verschieden lange Spannfäden. Für Kleidungsstücke verwenden Sie am besten eine Schriftart, in der Schrift- und Hintergrundfläche ähnlich gewichtet sind.

Als Schriften können Sie Dot-Matrix Schriften verwenden, mit einer guten Layoutvorlage können Sie aber auch jede sonstige Schrift hinter einem Gitter platzieren und so skalieren und modifizieren, dass sie ins Raster passt. [→ S. 184]

1

Rückseite von S. 119

2

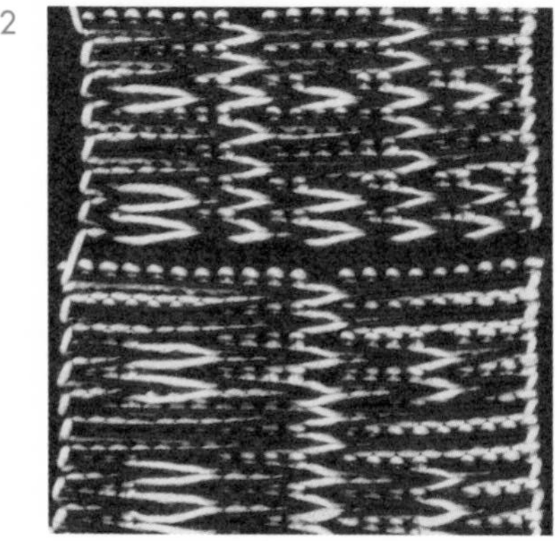

Rückseite von S. 43

3

Rückseite von S. 68 / 69, 184

SCHRIFT: PRINT CHAR 21 (MODIFIZIERT) [→ S. 94]
TECHNIK: HEBEMASCHEN ALS RASTER

TYPEJOCKEY KNIT

TypeJockey ist ein Schriftensystem von Andrea Tinnes, das aus 14 frei kombinierbaren Fonts mit unterschiedlichen Mustern besteht. Durch die Überlagerung der verschiedenen Schnitte lassen sich farb- und musterintensive Buchstaben bilden. Das Raster der Buchstabenkörper ist, im Gegensatz zu den komplexen Pattern, relativ einfach konstruiert. Es besteht aus 36×36 Pixeln (40×40 inklusive Rand), die in 6×9 Segmente mit je 6×4 Pixeln aufgeteilt sind.

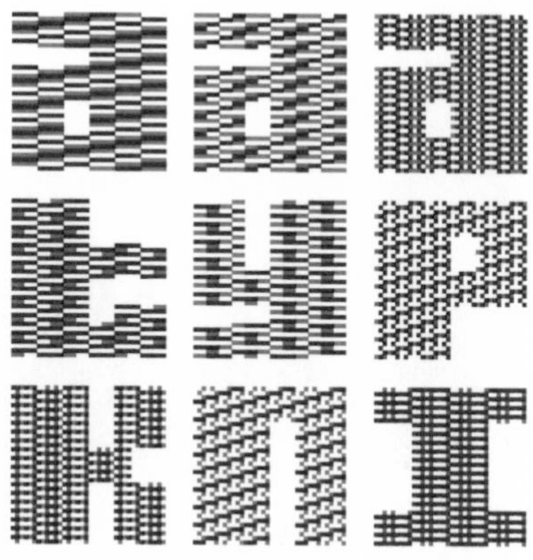

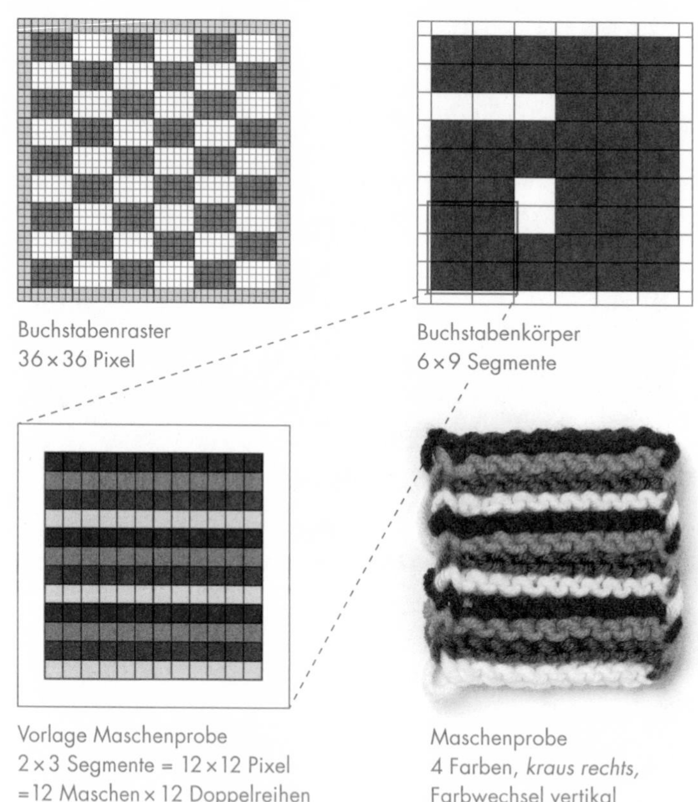

Buchstabenraster
36×36 Pixel

Buchstabenkörper
6×9 Segmente

Vorlage Maschenprobe
2×3 Segmente = 12×12 Pixel
= 12 Maschen × 12 Doppelreihen

Maschenprobe
4 Farben, *kraus rechts*,
Farbwechsel vertikal

12 Doppelreihen *kraus rechts*	3 Doppelreihen *kraus rechts* 9 Doppelreihen *glatt rechts*	12 Doppelreihen *glatt rechts*

STRUKTUR UND TEXTUR KOMBINIEREN

In der adaptierten *TypeJockey* KNIT sind die Buchstabenkörper auf ein Raster von 6×9 beziehungsweise 12×18 eingepasst. Die Buchstabenkörper und Zwischenräume erhalten je einen Musterrapport. Hierfür können Sie Strickstruktur und Farbmuster frei kombinieren und so den Charakter der Buchstaben variieren.

Die Buchstabenkörper bilden dabei, wie im Original, lediglich die Begrenzung von einem Musterrapport zum anderen. Dieses Prinzip können Sie übrigens auch auf jede andere Pixelschrift anwenden.

Um das optimale Muster für Ihren Buchstaben herauszufinden, stricken Sie am besten Maschenproben mit 2×3 Segmenten, also 12×12 Pixeln. Hier ist 1 Pixelreihe = 1 Doppelreihe, das ergibt 12 Maschen × 12 Doppelreihen.

Beachten Sie bei der Wahl der Struktur, dass sich das Gestrick in *kraus rechts* [1] vertikal stärker zusammenzieht, als wenn Sie *kraus* und *glatt rechts* abwechseln [2]. Doppelreihen ganz in *glatt rechts* [3] werden etwa 1,5× so hoch wie die in *kraus rechts*.

MUSTERKOMBINATIONEN TESTEN

Für den Einstieg stricken Sie Muster, in denen Farb- und Strukturwechsel gekoppelt sind. Dann werden Sie nach und nach komplexer. Beginnen Sie mit einer durchgehenden Struktur, zum Beispiel Farbe 1 und 2 in *kraus rechts* [1]. Dann fügen Sie einen Strukturwechsel ein und stricken Farbe 1 in *kraus rechts* und Farbe 2 in *glatt rechts* [2]. Erweitern Sie dann um eine dritte Farbe in Hebemaschen, erst mit zwei Farben pro Reihe [3], dann mit einem Farbwechsel innerhalb der Reihe, also drei Farben pro Reihe [4]. Je mehr Sie Farbmuster und Strickstruktur voneinander lösen, desto spielerischer wird das Ergebnis [5]. Auch hier bietet sich ein Sprung in die digitale Entwurfsebene an: Stricken Sie mehrfarbige Muster in Grundfarben wie Rot, Grün, Gelb oder Blau. So können Sie in einem *Photoshop-Mockup* die Farben separat ansteuern und Kontraste oder Farbtöne testweise ändern. Danach kehren Sie zurück zum analogen Stricken.

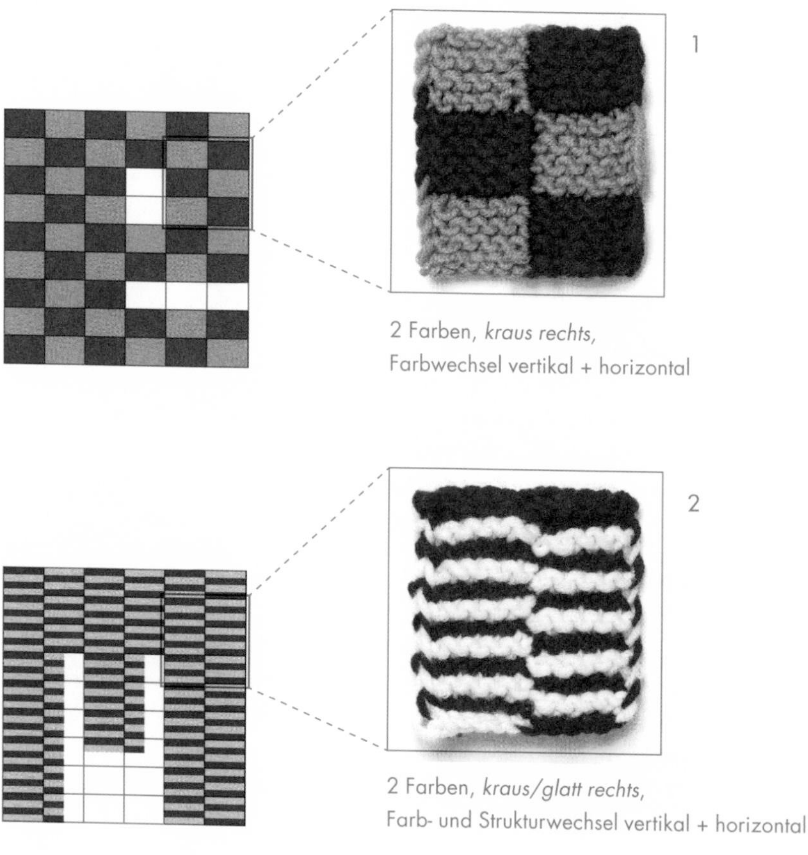

1

2 Farben, *kraus rechts,*
Farbwechsel vertikal + horizontal

2

2 Farben, *kraus/glatt rechts,*
Farb- und Strukturwechsel vertikal + horizontal

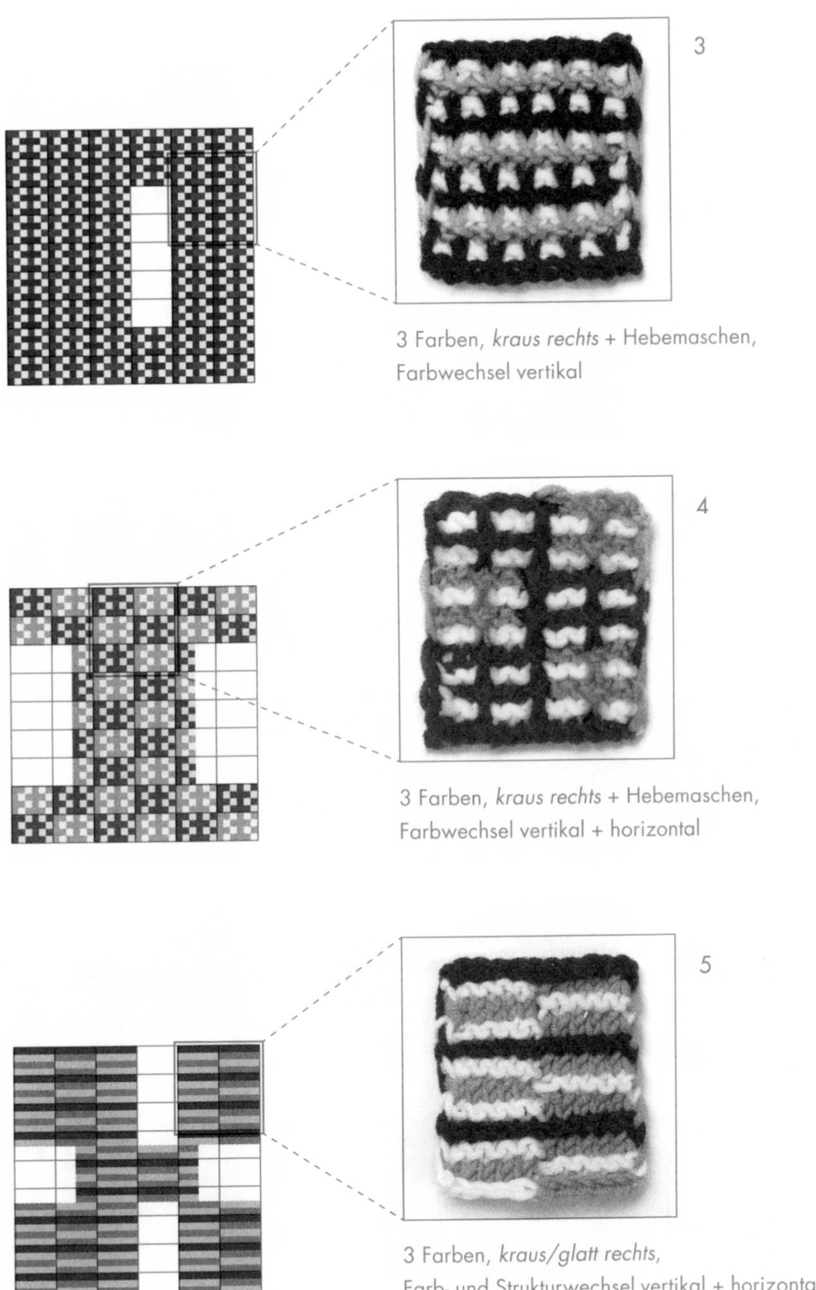

3 Farben, *kraus rechts* + Hebemaschen,
Farbwechsel vertikal

3 Farben, *kraus rechts* + Hebemaschen,
Farbwechsel vertikal + horizontal

3 Farben, *kraus/glatt rechts*,
Farb- und Strukturwechsel vertikal + horizontal

TYPEJOCKEY KNIT

DESIGN: ANDREA TINNES

TYPECUTS

SCHRIFT: TYPEJOCKEY KNIT
TECHNIK: JACQUARD

IV.

PATCH

Pixelschriften großformatig mit einfachem Patchworkstricken

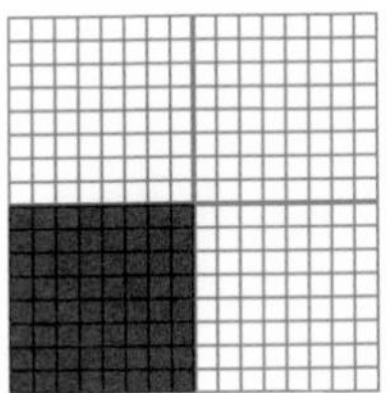

Patchbasiertes Stricken eignet sich für großformatige Einzelbuchstaben und kurze Worte, beispielsweise auf Pullovern, Kissen oder Decken. Als Schriftvorlagen dienen einfache Pixelschriften oder vergrößerte Screenshots, auch grob gerasterte Bildvorlagen sind möglich.

CORNER PATCH

Corner Patches sind das Grundelement beim patchbasierten Stricken. Verwenden Sie mindestens ca. 11×11 Maschen, was je nach Garn eine Größe von ca. 5×5 cm ergibt. Bei einem Buchstabenraster von 3×5 Einheiten ergeben sich Einzelbuchstaben von ca. 15×25 cm. Diese Größen sind nach oben hin offen, für kleinere Einheiten empfiehlt sich eher maschenbasiertes Stricken [→ S. 89].

Die Ausrichtung eines Einzelpatches ist wichtig für das spätere Anstricken der nächsten Patches. Die Anschlagsreihe, die als Hinreihe der ersten Doppelreihe zählt, stricken Sie von rechts nach links. Der Anfangsfaden liegt also immer rechts unten, der Schlussfaden rechts oben.

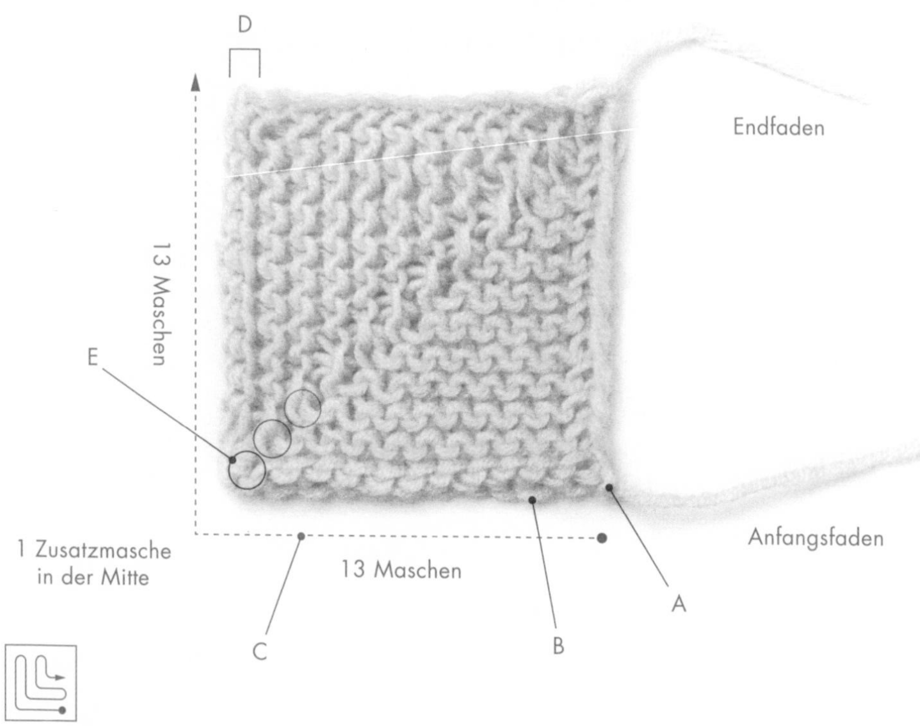

A Anfangsschlaufe
B Anschlagsmaschen
C Strickrichtung
D Randmasche für Doppelreihe
E auf Rückreihe drei Maschen zusammenstricken

CORNER PATCH STRICKEN

Bei Patches denken Sie immer in Doppelreihen. Hin- und Rückreihe bilden eine Einheit und haben die gleiche Farbe. Der Corner Patch erhält seine quadratische Form durch die *kraus rechts* gestrickten Doppelreihen und die Ecke.
Die Ecke entsteht, indem Sie auf der Rückreihe immer die drei mittleren Maschen zusammenstricken. Das sehen Sie auch an den zwei Darstellungsformen als Reihen [1] und in Zielform [2].

Haben Sie dieses Prinzip einmal verinnerlicht, brauchen Sie nur noch die Maschen der Anschlagsreihe zu zählen. Danach wiederholen Sie das Zusammenstricken beziehungsweise Abnehmen auf der Rückreihe, bis nur noch eine Masche übrig bleibt. Führen Sie den Faden durch die letzte Masche und ziehen Sie diese langsam fest.

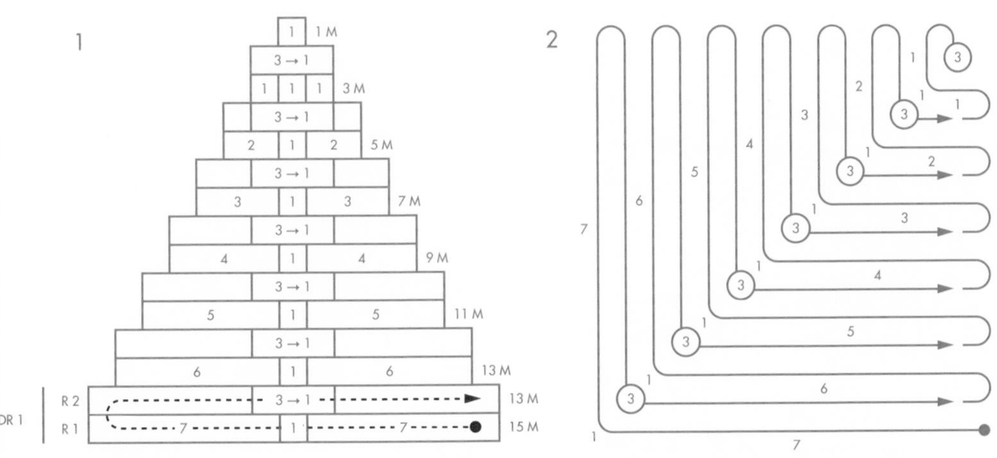

M Masche
R Reihe
DR Doppelreihe
3 → 1 drei Maschen zusammenstricken

PATCHES ANSTRICKEN

Die Strickrichtung vom einfachen Corner Patch verläuft diagonal von links unten nach rechts oben. Auch das Anstricken der folgenden Nachbarpatches verläuft in die gleiche Richtung. Entweder stricken Sie den nächsten Patch von rechts oder von oben an. Für die freiliegenden Unter- oder Linkskanten der Folgepatches erstellen Sie Anschlagsmaschen.

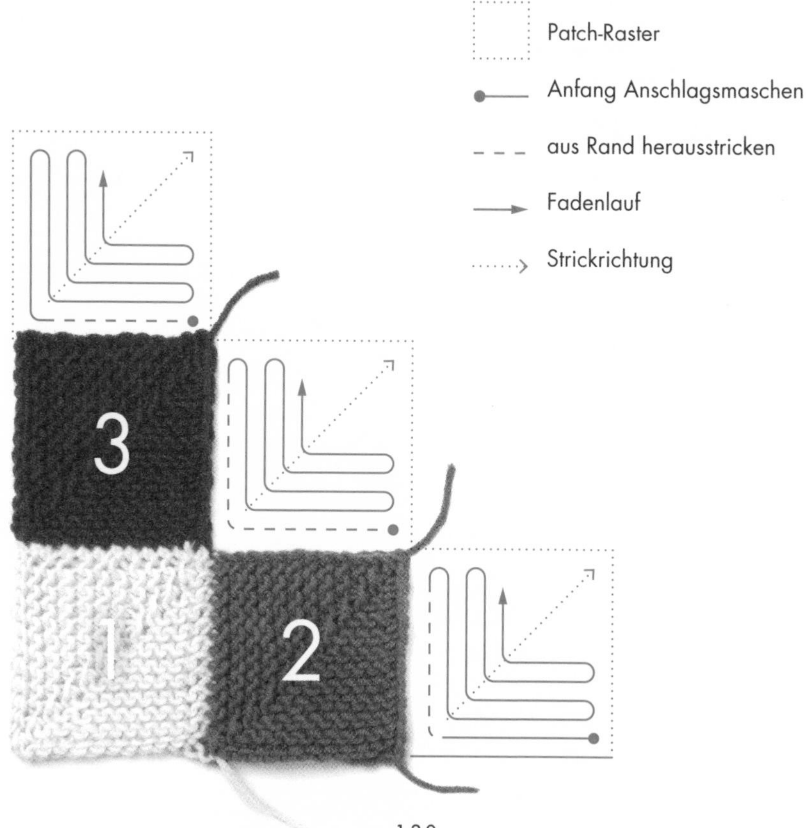

WEITERE VORBEREITUNGEN

Die Größe des Einzelpatches hängt von verschiedenen Faktoren ab: Garnstärke, Nadelgröße, Maschenanzahl, Struktur der Patches (*kraus rechts* wird kompakter als *kraus* und *glatt rechts* abwechselnd) und nicht zuletzt Ihrer persönlichen Strickweise. Stricken Sie daher zuerst einige Testpatches, bevor Sie einen ganzen Buchstaben beginnen.

Haben Sie die Patchgröße festgelegt, können Sie den Strickprozess noch weiter vereinfachen, indem Sie einen Patch wieder aufribbeln, die Garnlänge messen und weitere Garnstücke in dieser Länge zurechtschneiden. Damit vermeiden Sie nervige Knotenbildung, vor allem bei mehrfarbigen Arbeiten.

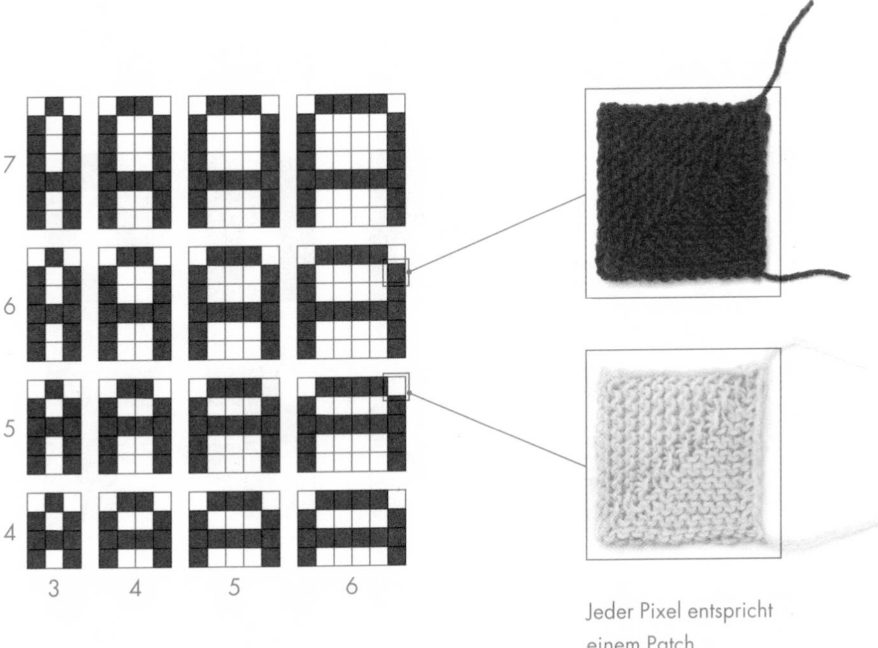

Jeder Pixel entspricht einem Patch.

Für die Auswahl der verwendeten Pixelschrift kann eine bestimmte Zielgröße ausschlaggebend sein oder aber die Schrift beeinflusst das Endformat. Zusätzliche Feinanpassungen können Sie außerdem immer noch über die Modifikation einzelner Buchstaben vornehmen.

KK FIXED 4 × 5

KREATIVE KORPORATION

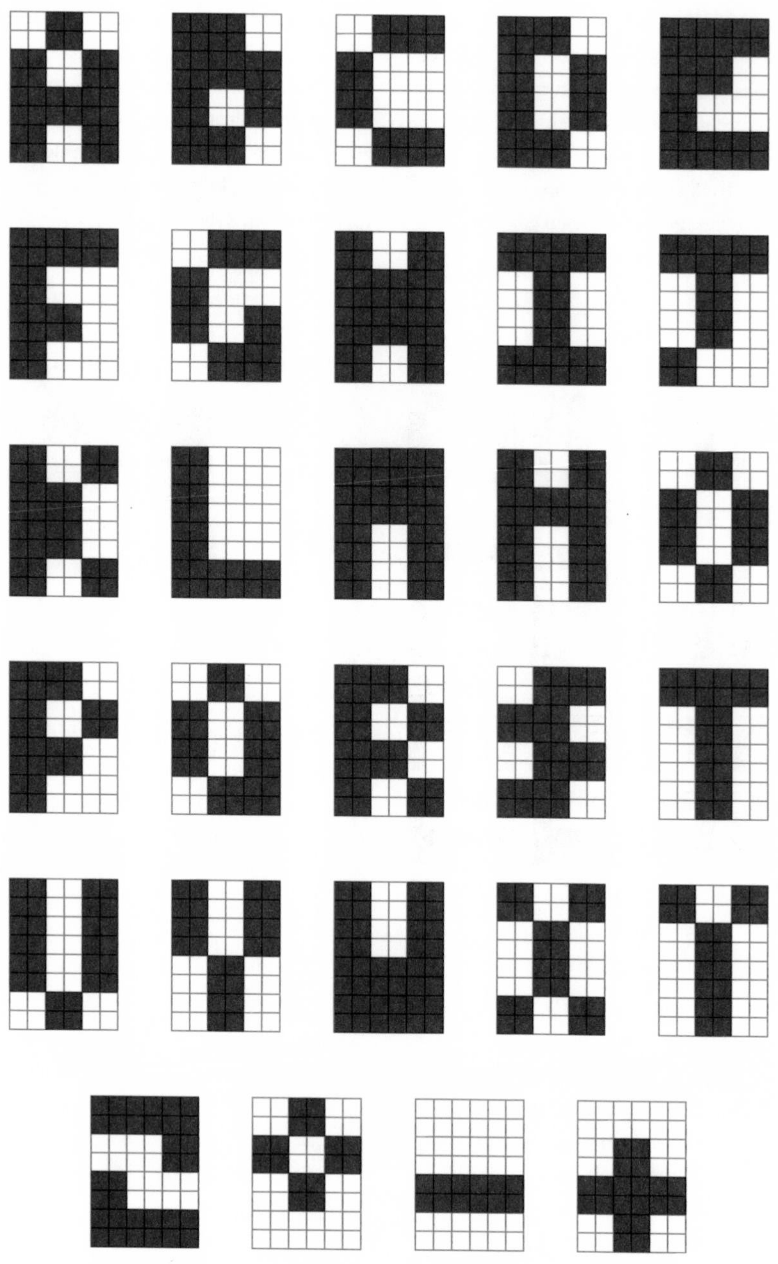

SCHRIFT: KK FIXED 4×5
TECHNIK: CORNER PATCH

CORNER PATCH MIT FARBWECHSEL

Die einfachste Weise, um Corner Patches eine weitere grafische Eigenheit zu geben, ist ein Farbwechsel innerhalb eines Patches. Hierfür lassen Sie das Garn von Farbe 1 am Ende einer Rückreihe einfach fallen und stricken weiter mit Farbe 2. Das lose Ende von Farbe 1 können Sie dabei gleich mit dem nächsten Nachbarpatch auf der Rückseite einweben.

Den Farbwechsel innerhalb eines Patches können Sie frei variieren. Um zu prüfen, ob die Mustervariante zum Buchstabenbild passt, können Sie eine grobe Collage anfertigen – in Excel oder Photoshop oder manuell mit kopierten Testpatches. Für die Erstellung komplexerer Vorlagen mit Schrift- oder Bildmotiv eignet sich auch das Programm *Vectoraster.*

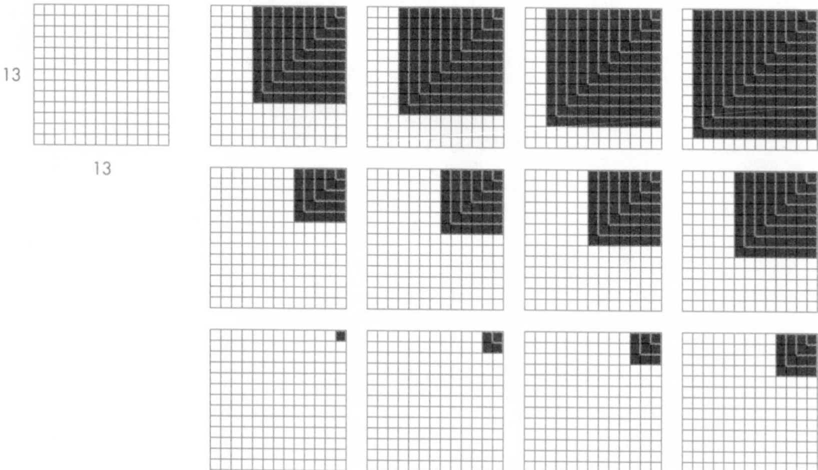

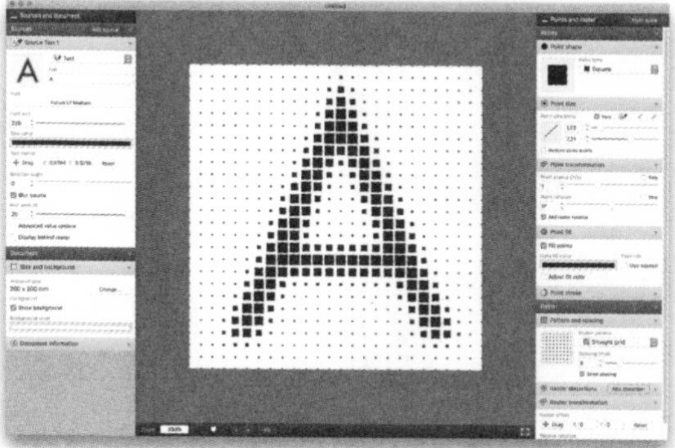

Mit dem Programm *Vectoraster* können Sie Schrift und Bilder in grafische Elemente aufrastern.

SCHRIFT: MONTEREY [→ S. 189]
TECHNIK: CORNER PATCH MIT FARBWECHSEL

FARBABSTUFUNGEN

Wollen Sie eine vergrößerte Antialiasing-Darstellung einer Schrift nachstricken, benötigen Sie verschiedene Helligkeitsgrade eines Garns. Nicht von jeder Garnsorte erhalten Sie jedoch beliebig verschiedene Farbabstufungen.

In so einem Fall können Sie die vorliegenden Garnsorten nach Helligkeit sortieren und den Tönen der Vorlage zuordnen. Wenn Sie unterschiedliche Farbtöne nach Helligkeit ordnen, erhalten Sie einen ähnlichen Effekt wie der Photoshop-Filter *Hue/Saturation*.

Die Farbstufen können Sie auch direkt beim Stricken aus Einzelgarnen mischen: Aus zwei Garnfarben erhalten Sie bereits vier Farbabstufungen. Mit etwas dickeren Nadeln können Sie auf diese Weise ganz einfach 4–5 Garne und entsprechend viele Zwischentöne mischen.

Dieses Mischen von Garnen eignet sich auch gut, um Garnreste aufzubrauchen. Ihr Ergebnis wird dabei entsprechend voluminöser. Um das auszugleichen, können Sie dünnere Garnsorten oder dickere Nadeln verwenden.

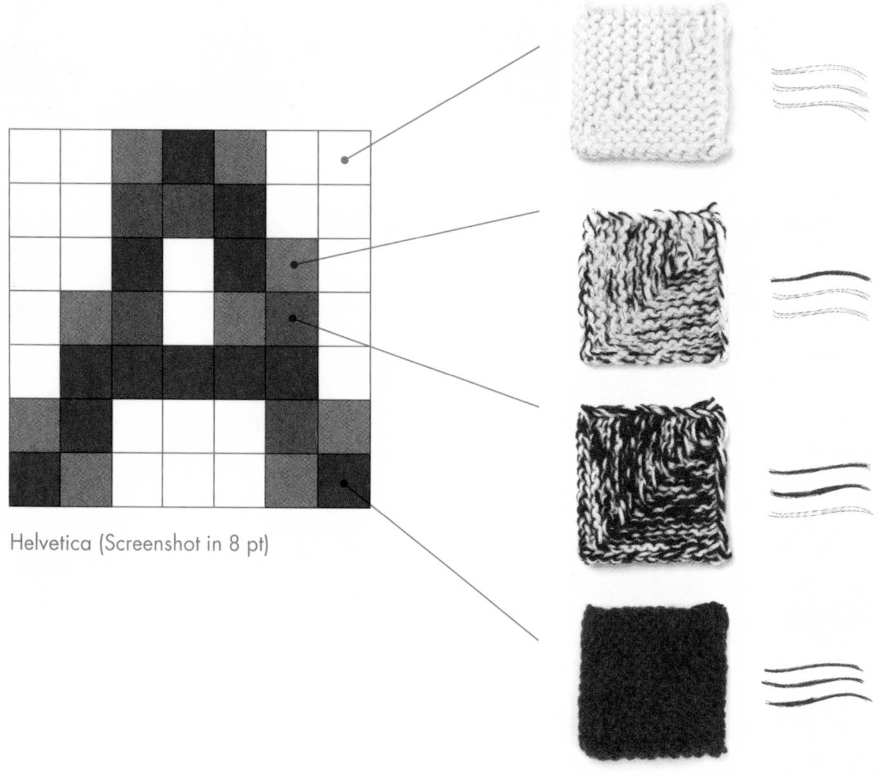

Helvetica (Screenshot in 8 pt)

V.

MODUL

Modulare Schriften großformatig mit fortgeschrittenem Patchworkstricken

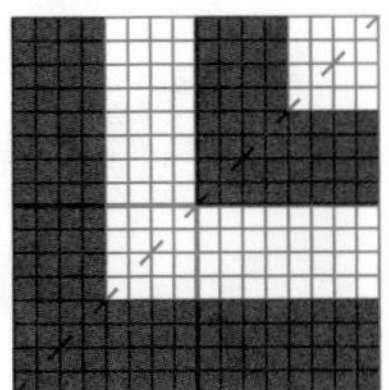

Beim patchbasierten Stricken mit Modulen werden die Patches mehrfarbig. Sie erlangen Muster und Struktur. Dies ermöglicht eine Vielfalt an Buchstabenvariationen, die ihren starken grafisch-konstruktiven Charakter durch die rechten Winkel, 45°-Diagonalen und Streifenmuster erhalten. Dies ist besonders für größere Objekte wie Kissen oder Decken geeignet, auf denen der grafische Charakter besonders gut zur Geltung kommt.

MODUL CORNER PATCH

Aufbauend auf dem einfarbigen Corner Patch [→ S. 128] kommen beim Modul Corner Patch Farb- und Strukturwechsel hinzu. Sie stricken je Doppelreihe einen Farbton. Ungerade Doppelreihen stricken Sie in *kraus rechts*, gerade in *glatt rechts*. Dadurch entsteht eine Reliefstruktur, die dem Ergebnis auch haptische Qualität und Schattenspiel verleiht.

Für den Farbwechsel wird am Ende der Doppelreihe der Faden hängen gelassen und mit dem zweiten weitergestrickt. Dieses Grundmuster können Sie sehr einfach anpassen. Mit einer dritten oder vierten Farbe können Sie innerhalb mehrerer Doppelreihen auch zusätzliche Buchstabenstämme hervorheben.

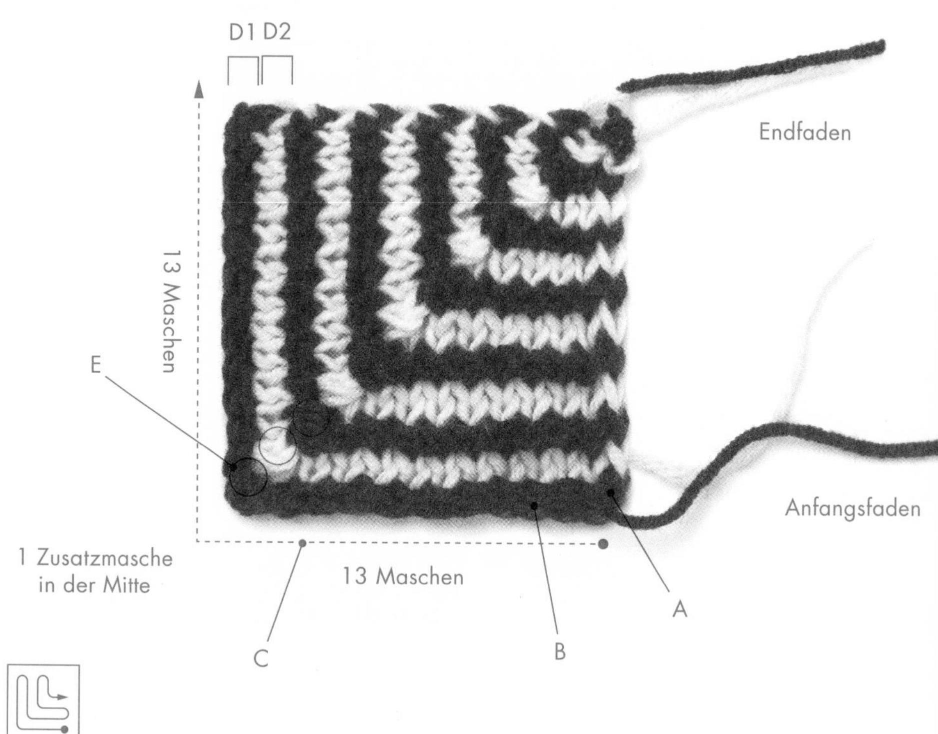

A	Anfangsschlaufe
B	Anschlagsmaschen
C	Strickrichtung
D1	Randmasche für Doppelreihe 1 *(kraus rechts)*
D2	Randmasche für Doppelreihe 2 *(glatt rechts)*
E	auf Rückreihe drei Maschen zusammenstricken
F	Farbwechsel

13

13

MUSTERVARIANTEN

Je nach verwendetem Muster bieten sich beim Modul Corner Patch unterschiedliche Maschenzahlen an. Hier dargestellt sind einige Varianten eines 13er-Patches. Um ein Gefühl für Größe und Mustereigenschaften zu bekommen, ist es hilfreich, wenn Sie zunächst ein paar großformatige Patches stricken, diese fotografieren und einige Buchstaben digital collagieren.

GRUNDFORMEN MODUL CORNER PATCH

Durch Verdoppeln, Verdreifachen oder Vervierfachen der Anschlagsmaschen können Sie den Modul Corner Patch zu einem halben, dreiviertel oder ganzen Quadrat erweitern. Dabei stricken Sie weiterhin die mittleren drei Maschen der Viertelsegmente in der Rückreihe zusammen.

Beim ganzen Quadrat stricken Sie die verbleibende Lücke anschließend ab, auf die gleiche Weise wie Sie auch Teile aneinanderstricken [→ S. 87]. Oder Sie nähen die beiden Seiten einfach mit einem Maschenstich zusammen.

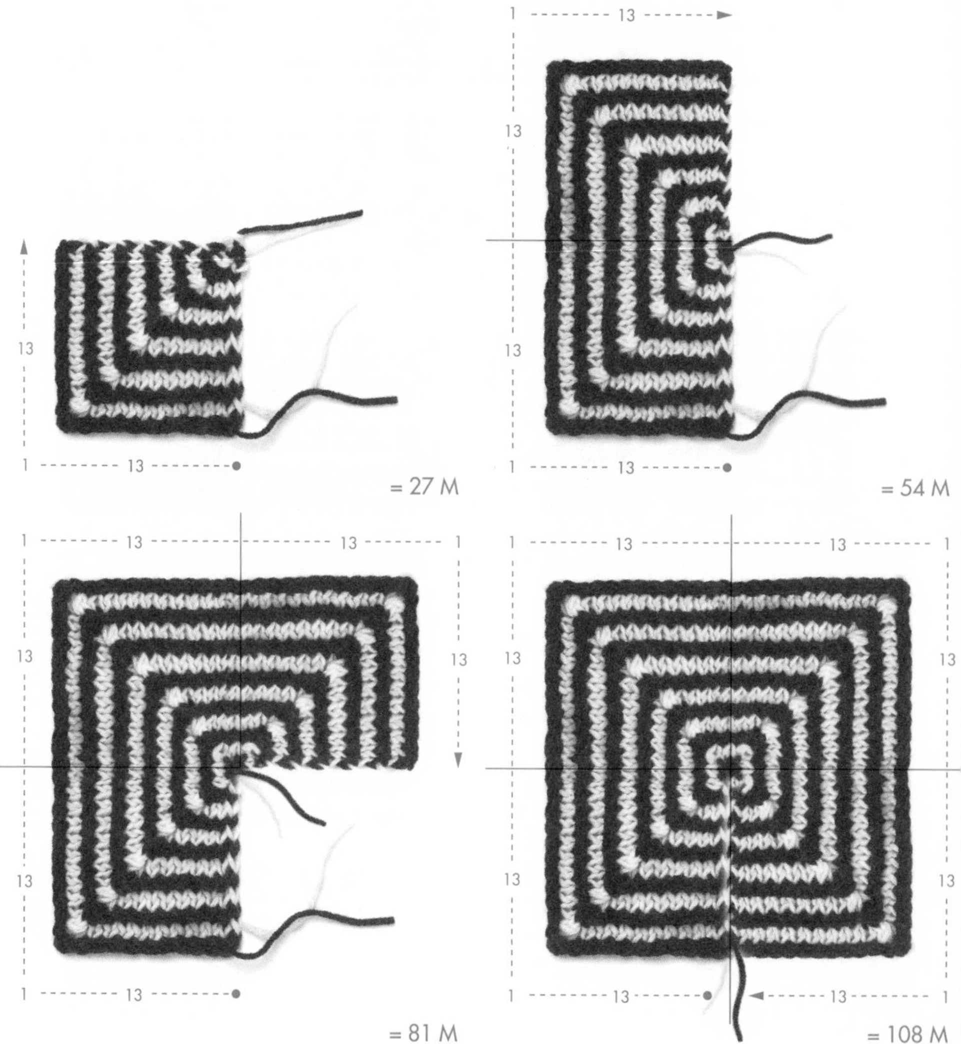

SEGMENTE AUS GRUNDFORMEN

Die Modul Corner Patch Grundformen können Sie an den Enden beliebig in Strickrichtung erweitern. Damit bilden Sie charakteristische Stricksegmente zur Konstruktion der Buchstaben. Halten Sie diese Segmente möglichst simpel, um das spätere Aneinanderstricken zu vereinfachen.

Zu Beginn sollten Sie der Einfachheit halber die Ausrichtung der Ecken nicht wechseln. Hierfür müssten Sie an einer Ecke in der Mitte zunehmen [1], statt wie sonst die mittleren drei Maschen zusammenzustricken [2].

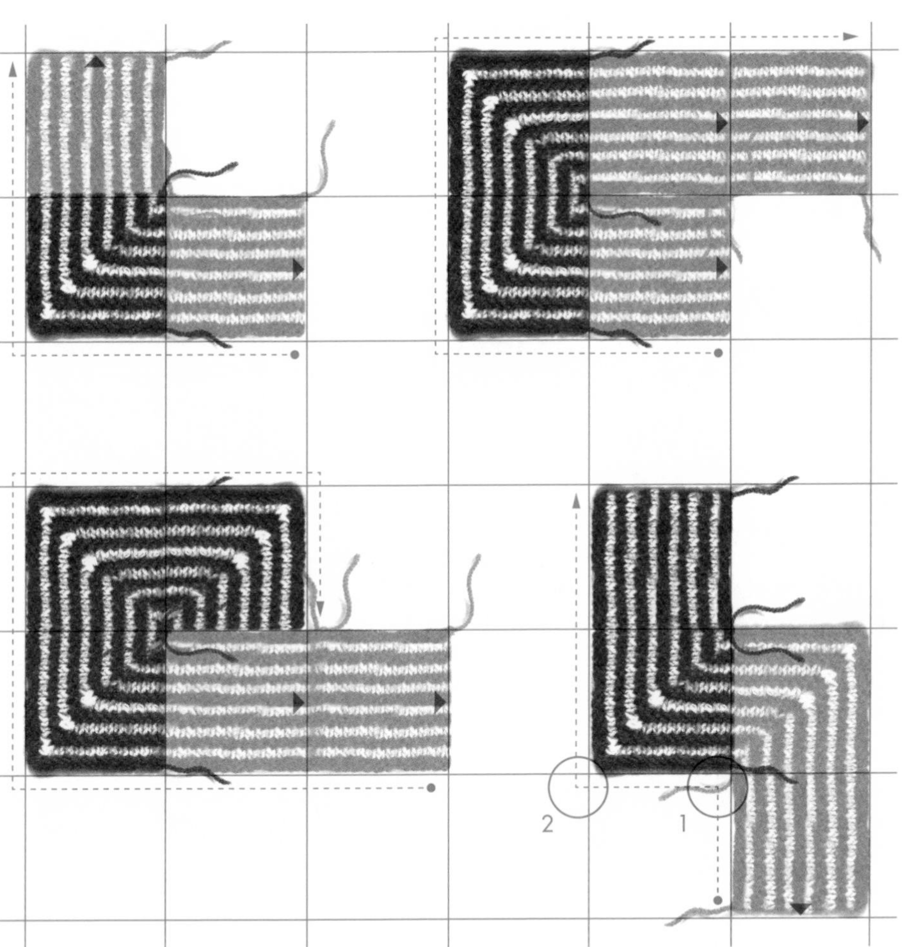

BUCHSTABEN KONSTRUIEREN

Bei der Buchstabenkonstruktion können Sie auf zwei Arten vorgehen: Peilen Sie ein genaues Endformat an, ergibt sich daraus ein Patchraster, in dem Sie arbeiten. Andersherum können Sie auch erst den Buchstaben entwickeln und dann das Endformat auffüllen. Dies ist einfacher und sinnvoller für den Anfang.
Bei der Entwicklung der Buchstaben denken Sie das Endformat gleichzeitig in Einzelpatches, beziehungweise in den verschiedenen Stricksegmenten.

Patchraster-Varianten

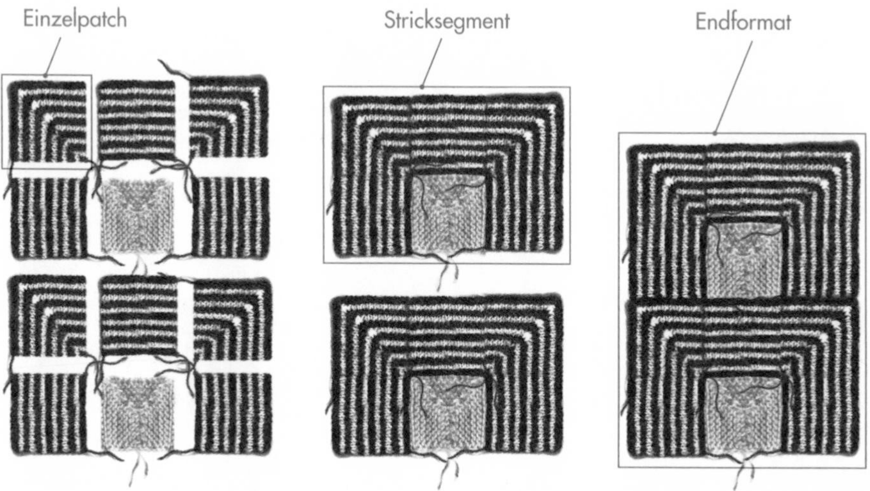

Nicht immer können Sie alle Buchstaben mit einem Patchtyp und innerhalb eines Rasters lösen. Zum Beispiel benötigt der Buchstabeninnenraum bei diesem »A« einen Workaround: Hier wird das Zusammenstricken der Corner Patches darüber einfach bis zur Mitte fortgesetzt.

SEGMENTE ANSTRICKEN

Die einzelnen Segmente eines Buchstabens stricken Sie eins nach dem anderen aneinander. Sie werden jeweils über ihre Anschlagsreihe an das vorhergehende Segment angestrickt [→ S. 84]. Vor dem Stricken planen Sie dafür die optimale Reihenfolge.

Die meisten Segmentkombinationen können Sie so verbinden. Wenn nötig, passen Sie Buchstaben leicht an. Nur in wenigen Ausnahmen müssen Sie noch übriggebliebene Abschnitte nachträglich aneinanderstricken. [→ S. 87]

Patch-Raster

Anfang Anschlagsmaschen

aus Rand herausstricken

Fadenlauf

Strickrichtung

abstricken

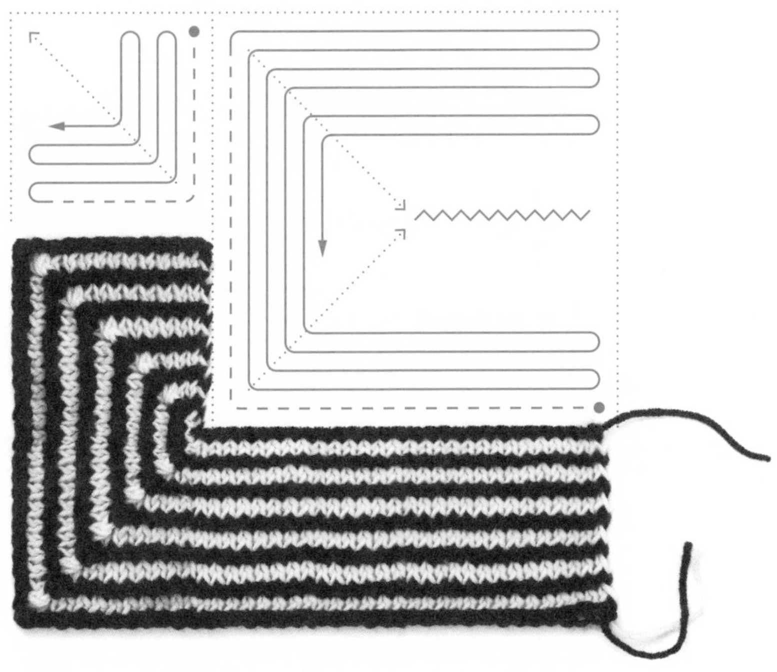

Alle Varianten von diesem »A« können in zwei Segmenten gestrickt werden.

Diese farbige Punze kann mit einem Farbwechsel innerhalb des Patches erstellt werden.

Dieses »B« kann an einem Stück von außen nach innen gestrickt werden. Die innersten Linie wird abgestrickt.

Entlang der inneren Linie wird abgestrickt. Sie kann gestrickt dicker wirken als im Layout.

Dieses »C« kann in einem Stück gestrickt werden und gleicht Segment 1 vom »A«.

Um diese Ecken zu stricken, muss der weiße Innenteil als separates Segment angestrickt werden.

PROTOTYPING

Springen Sie beim Entwurf einer Schrift zwischen analogem und digitalem Prototyping hin und her. Stricken Sie einzelne Patches [1], fotografieren Sie sie ab und erstellen Sie einheitliche Mockup-Bausteine [2]. Mit solchen können Sie in jedem Layoutprogramm in eine digitale Entwurfsphase eintauchen [3].

Anschließend stricken Sie zuerst diejenigen Buchstaben, die schwierige Details enthalten könnten. Der Buchstabe »R« hat vermutlich mehr Details als ein »L«. Nachdem Sie an diesem Beispiel praktische Erkenntnisse gewonnen haben, können Sie den digitalen Entwurf in Photoshop weiter ausarbeiten [4]. Diesen oder einen ähnlichen Ablauf wiederholen Sie so oft wie nötig.

Um ein Gefühl für mögliche Konstruktionsweisen zu bekommen und das gestrickte Ergebnis besser vorhersehen zu können, lohnt es sich anfangs, häufiger zwischen analog und digital zu wechseln.

1

Musterpatch

2

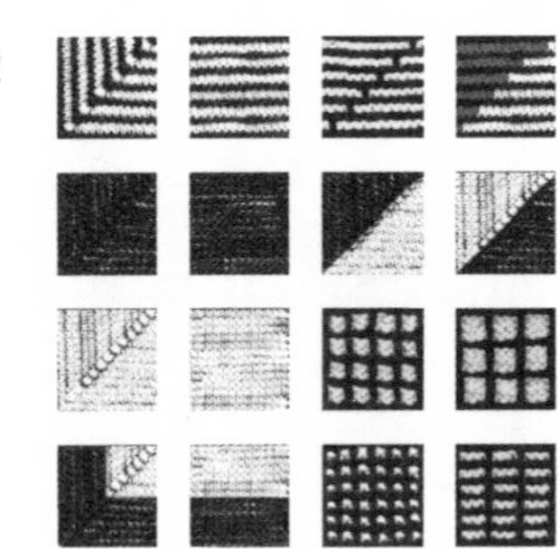

Mockup-Bausteine

4

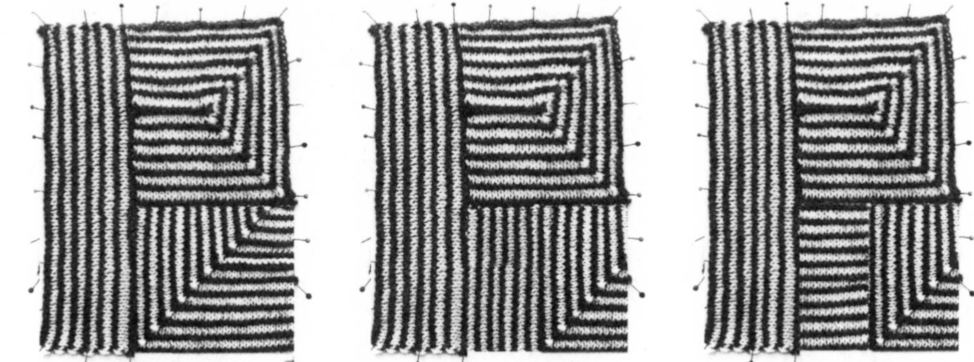

Varianten in Photoshop

EINZELBUCHSTABEN VS. SCHRIFTEN

Es macht einen großen Unterschied, ob Sie Einzelbuchstaben oder eine ganze Schrift erstellen wollen. Einige Konstruktionsarten funktionieren an einem Buchstaben besser als an anderen. Sammeln Sie erstmal beim Prototyping von Einzelbuchstaben Erfahrung.

Wenn Sie sich an eine ganze Schrift wagen, legen Sie am besten parallel auch ein Übersichtsdokument an, in dem Sie die Strickreihenfolge notieren. So können Sie die Schrift einfach zum Testen weitergeben, zum Beispiel im *Ravelry*-Forum, und dabei gleich Feedback zur Verständlichkeit sammeln.

MODUL CORNER KNIT

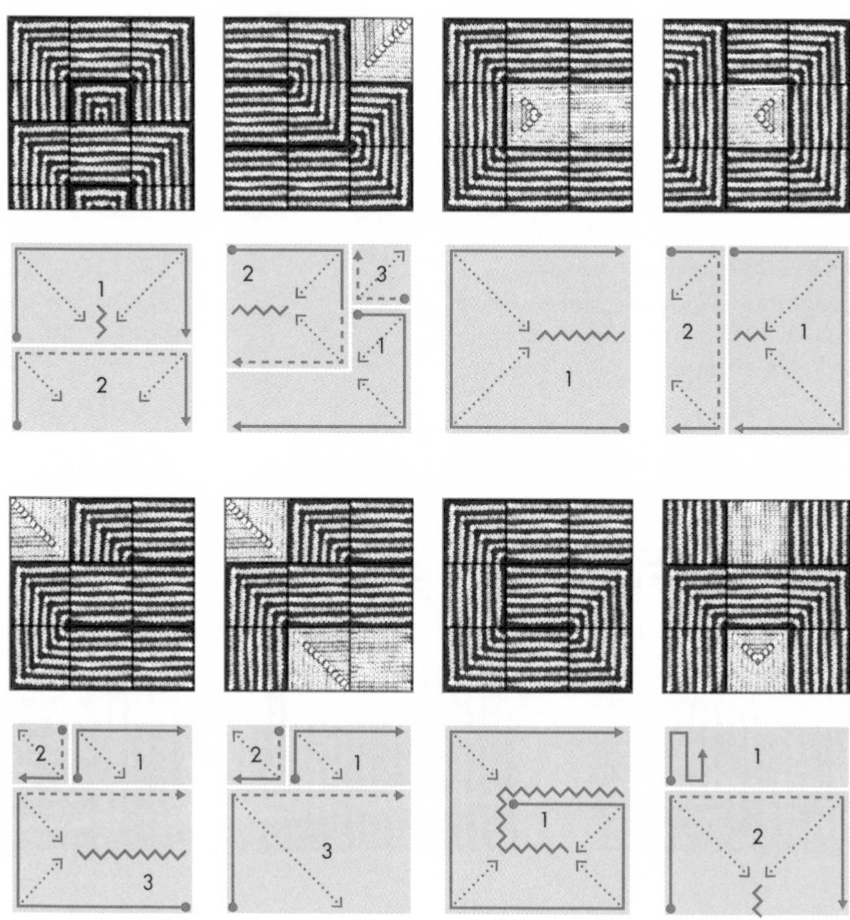

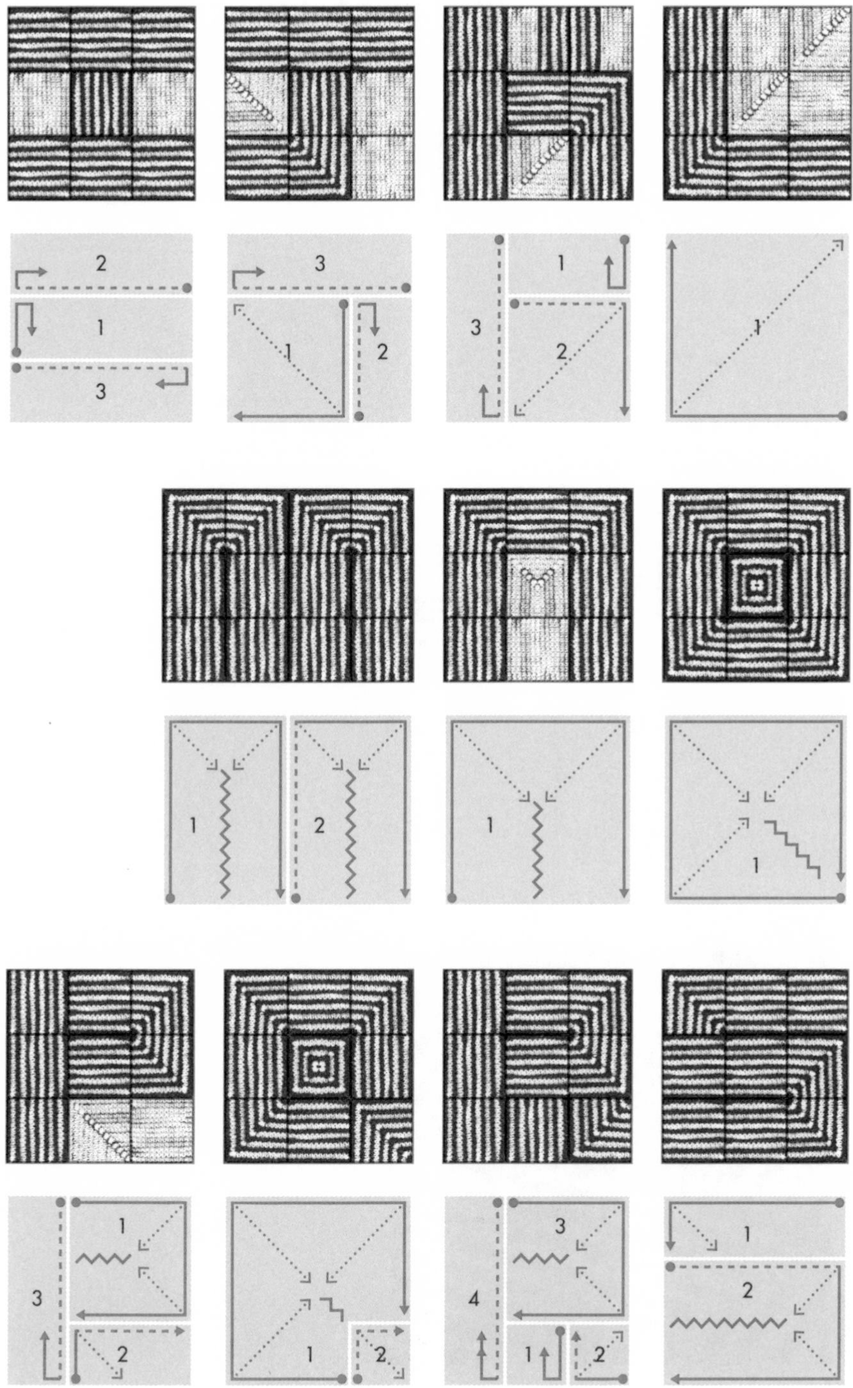
2
1
3
3
1
2
1
3
2
1
1
2
1
1
1
3
2
1
2
3
4
1
2
1
2

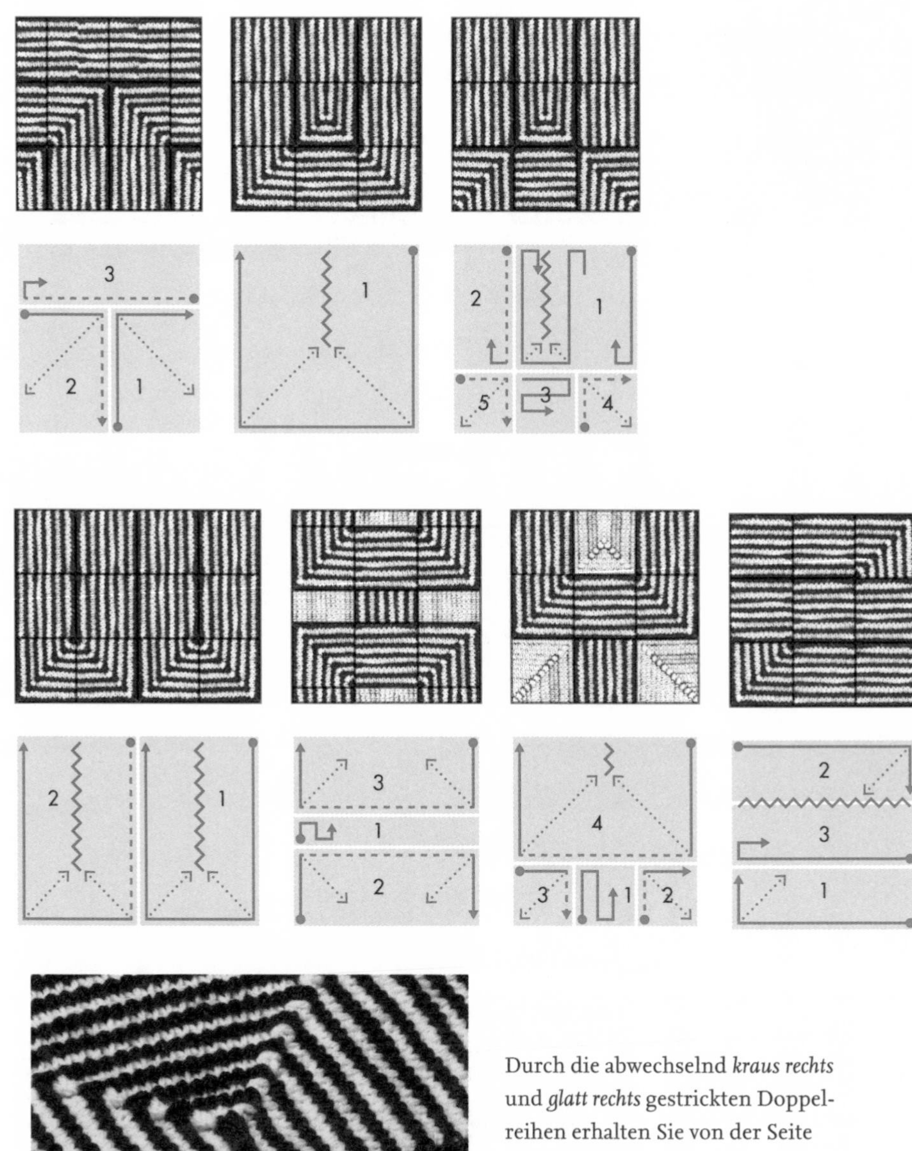

Durch die abwechselnd *kraus rechts* und *glatt rechts* gestrickten Doppelreihen erhalten Sie von der Seite betrachtet einen räumlichen Effekt.

SCHRIFT: MODUL CORNER KNIT [→ S. 148]
TECHNIK: MODUL CORNER PATCH

DIAGONAL CORNER PATCH

Der Diagonal Corner Patch ist genauso aufgebaut wie ein Corner Patch, nur verläuft hier der Farbwechsel in der Mitte jeder Hin- und Rückreihe. Diese Diagonale wird zum prägenden visuellen Element. Die Zusatzmasche in der Mitte entfällt hierbei, in der Rückreihe werden vor und nach dem Farbwechsel jeweils zwei Maschen von Farbe 1 und 2 zusammengestrickt. So entfallen auf jeder Rückreihe zwei Maschen. Dazwischen werden die Fäden überkreuzt. Da Sie hierbei auf jeder Hin- und Rückreihe die Farbe wechseln, ist dieser Patch zwar etwas zeitintensiver, bietet dafür aber ein interessantes Grundraster.

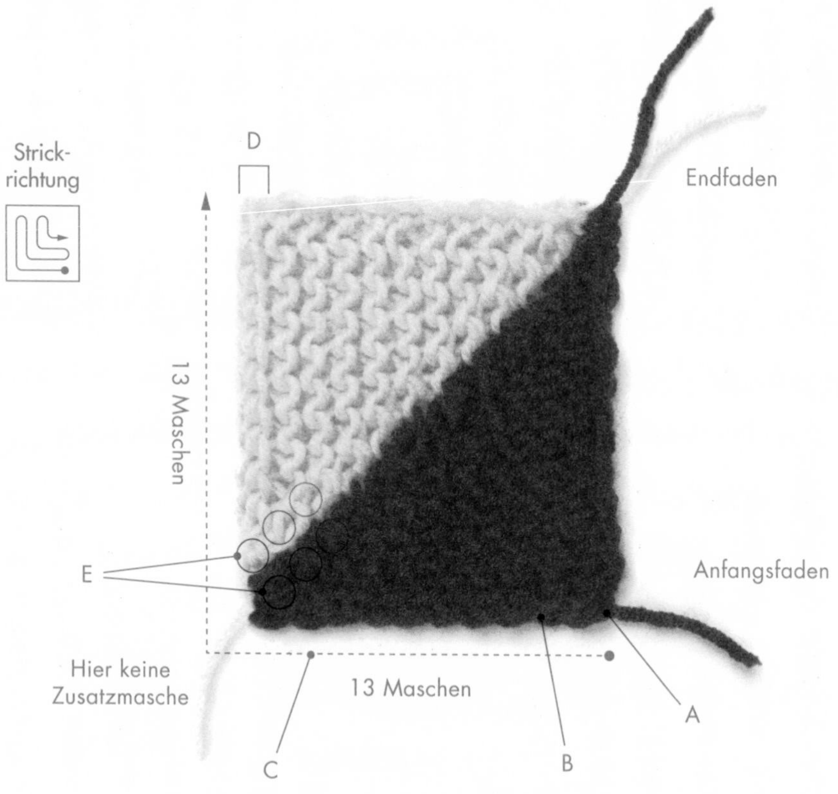

A Anfangsschlaufe
B Anschlagsmaschen
C Strickrichtung
D Randmasche für Doppelreihe
E auf Rückreihe 2 Maschen je Farbe zusammenstricken + Fäden überkreuzen

VARIANTEN UND SEGMENTE

Der Diagonal Corner Patch lässt sich ebenfalls zu halben, dreiviertel oder ganzen Quadraten stricken und erweitern, wie beim Modul Corner Patch [→ S. 143]. Dazu können Sie noch 90°-Farbwechsel einbauen. Das Bilden von Segmenten ist hier im Gegensatz zum Corner Patch etwas gewöhnungsbedürftig, da die prägnante Diagonale konträr zur Strickrichtung liegt. Sie können die Diagonale gut als prägnante *Latin-Serife* verwenden.

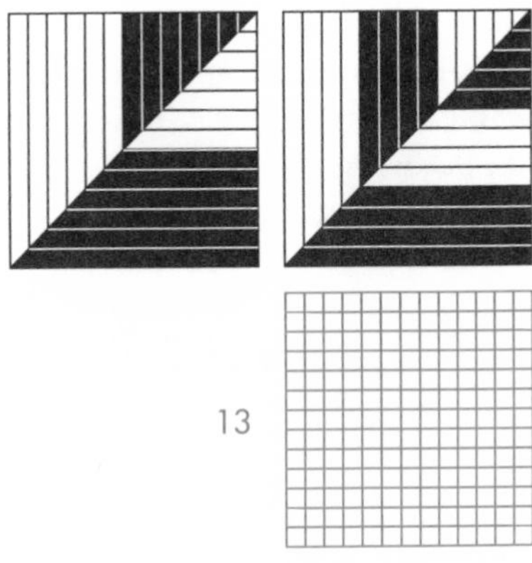

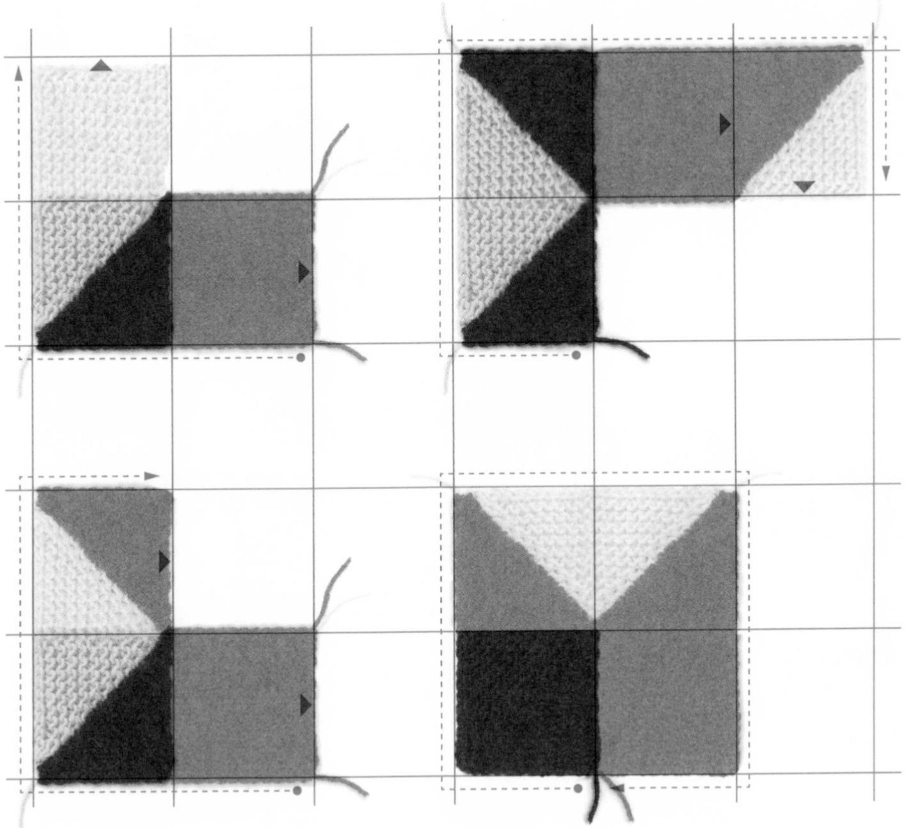

PHOENIX KNIT CHRISTIAN SCHMALOHR

Die *Phoenix* verschmilzt gebrochene Schrift mit technoider Formsprache. Aufgrund der Frakturschrift als Ausgangspunkt enthält sie sehr kontrastreiche Strichstärken. Bei der *Phoenix KNIT* werden die Majuskel auf Basis von Diagonal Corner Patches gestrickt, die besonders bei den Serifen zur Geltung kommen. Die unterschiedlichen Strichstärken werden mit Garnwechseln innerhalb der Corner-Patch-Segmente erzielt und lassen sich flexibel anpassen.

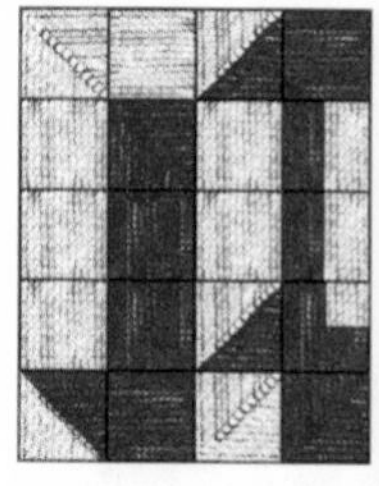

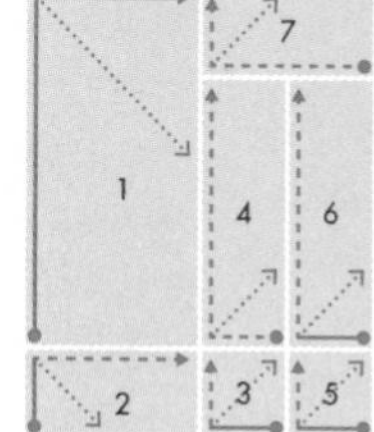

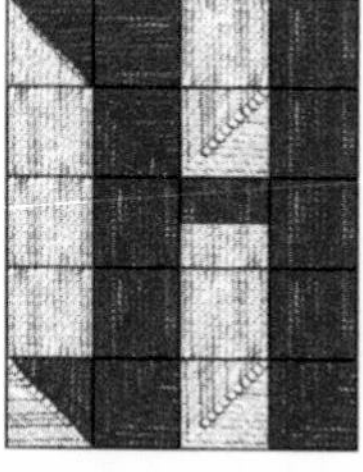

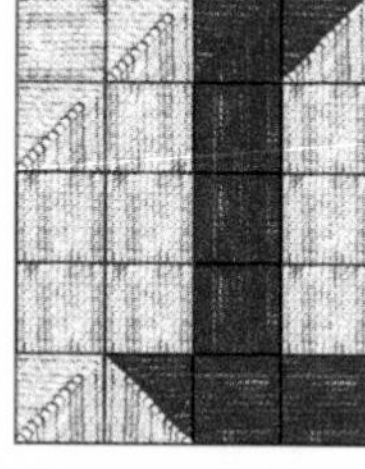

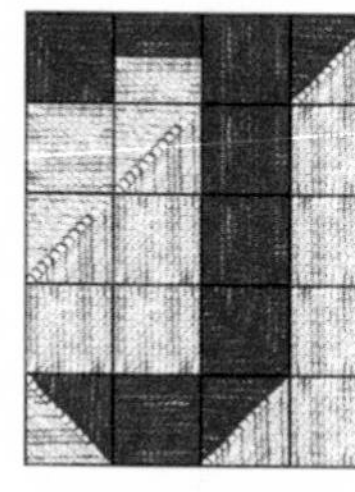

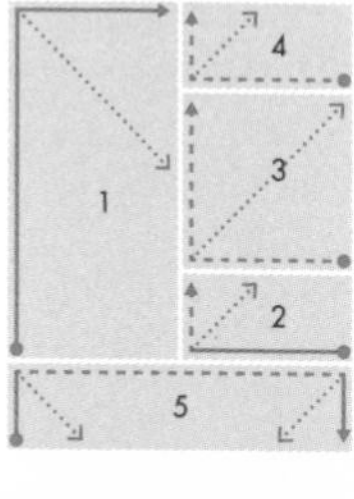

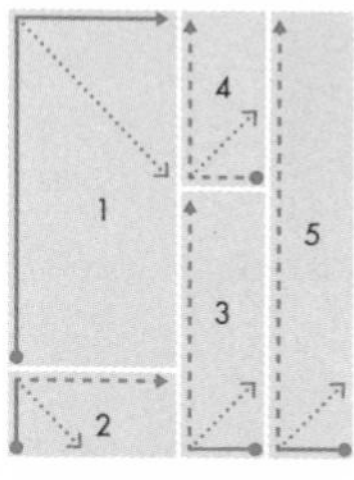

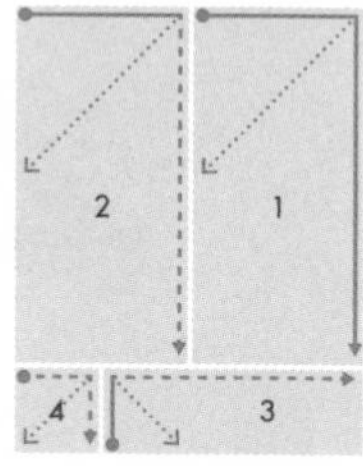

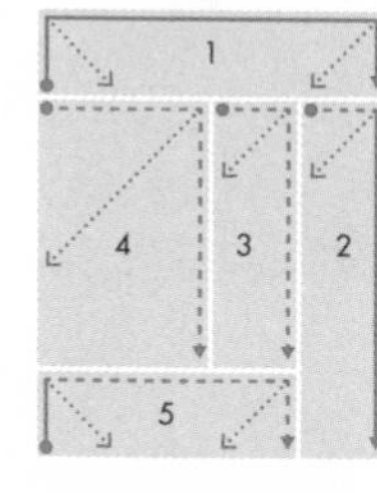

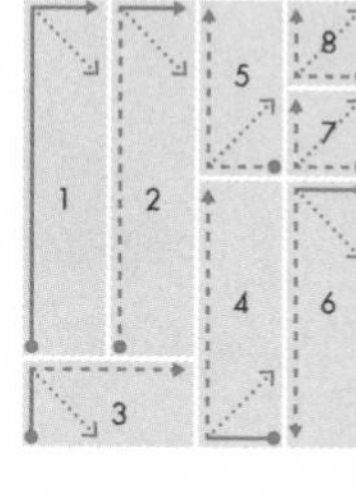

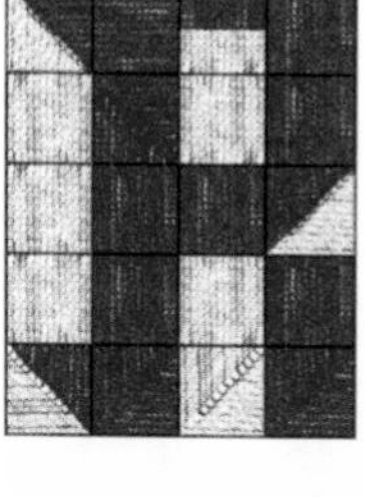

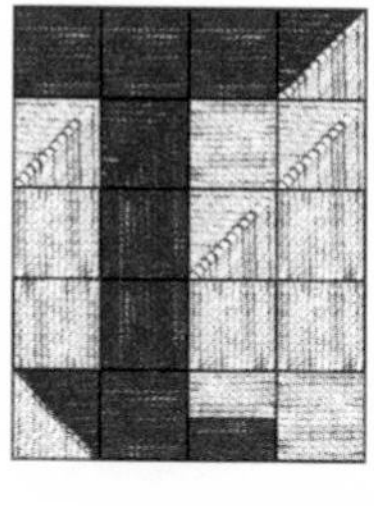

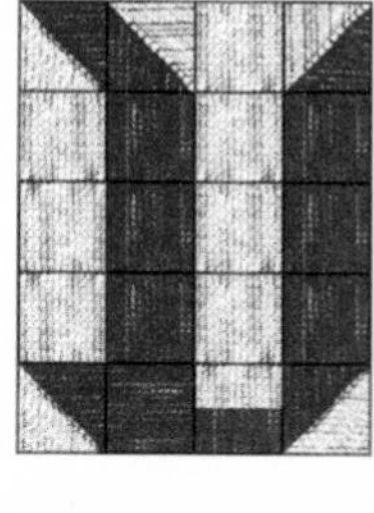

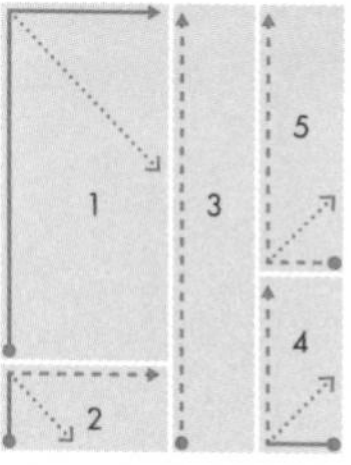

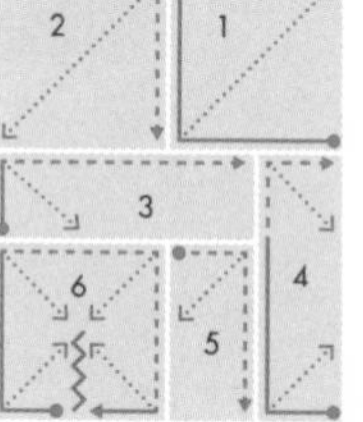

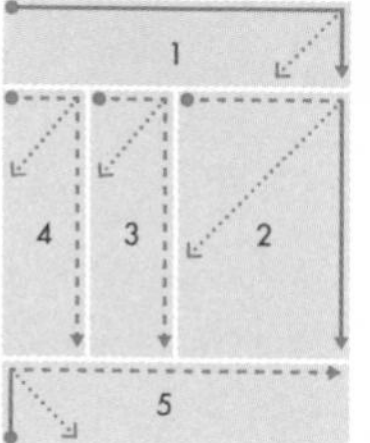

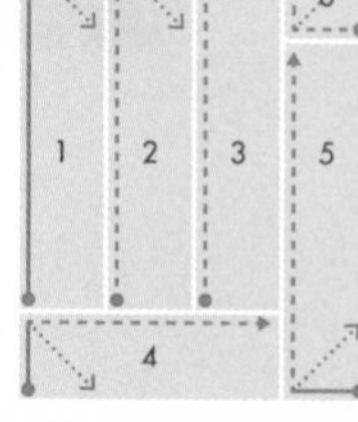

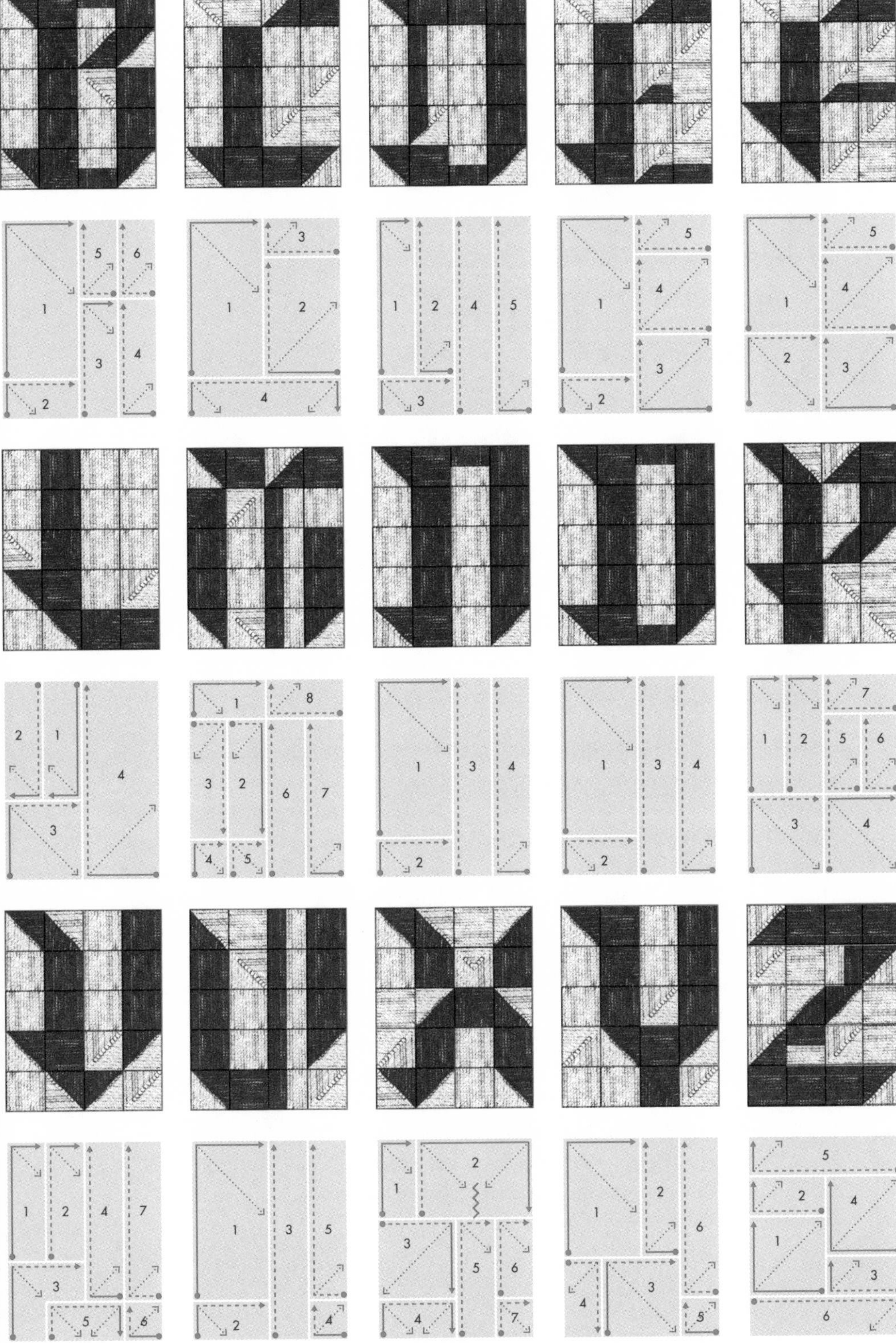

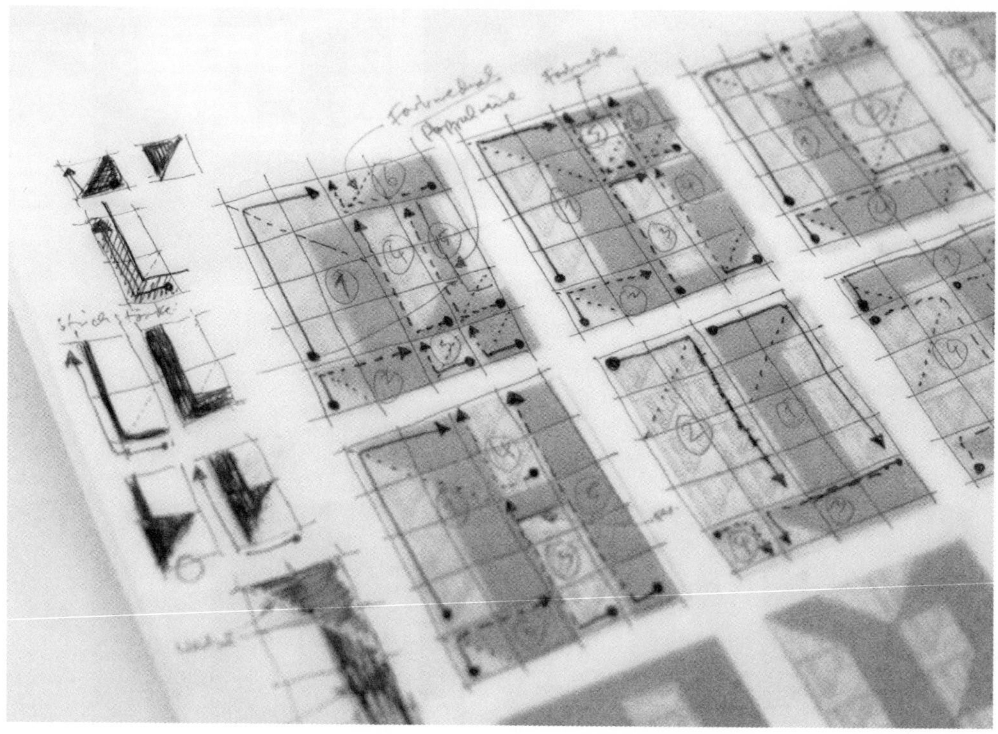

SEGMENTE BILDEN

Wie beim Modul Corner Patch bilden Sie auch hier Segmente, um den Strickprozess zu vereinfachen [→ S. 144]. Beim Diagonal Corner Patch ist das Bilden der optimalen Reihenfolge der Stricksegmente jedoch etwas schwieriger. Grund hierfür ist, dass die Schräge nicht die Strickrichtung anzeigt, sondern die Diagonale, die durch das Zusammenstricken der mittleren Maschen entsteht. Dadurch sind die einzelnen Segmente auf den ersten Blick nicht so offensichtlich.

Lassen Sie sich hierdurch nicht verwirren. Legen Sie Transparentpapier auf Ihren Entwurf und skizzieren Sie darauf in einer eindeutigen Notationsweise, die zwischen *Anschlagsreihen* (hier: Punkt mit durchgezogenem Strich) und *herausgestrickten Anschlagsreihen* (gestrichelt) unterscheidet. Zeichnen Sie zudem die mittlere Diagonale ein. So erhalten Sie nach und nach einen Überblick und eine Art Gestaltungsraster für die weiteren Buchstaben.

Wenn Sie, wie beim Beispiel oben, eine zweite Buchstabenfarbe verwenden, können außerdem auch Farbwechsel hinzukommen, die nicht in der Diagonale liegen. Planen Sie zunächst ein paar Beispielbuchstaben durch und übertragen Sie dann die Grundprinzipien auf die restlichen Buchstaben.

SCHRIFT: PHOENIX KNIT [→ S. 154]
TECHNIK: DIAGONAL CORNER PATCH

PATTERN UND MODULE KOMBINIEREN

Sobald Sie die Eigenheiten der verschiedenen Pattern- und Modultypen erkundet haben, können Sie diese frei kombinieren. Beim Patchworkstricken ist es übrigens auch möglich, Patches seitlich anzustricken. Dies wird in Spezialbüchern zur Technik genauer erklärt [→ S. 213].

Die Vorgehensweise bei kombinierten Patchtypen ist grundsätzlich die gleiche: Definieren Sie ein Patchraster und eine einheitliche Maschenanzahl pro Einzelpatch. Überlegen Sie beim Entwurf gleich mit, in welcher Reihenfolge die Segmente aneinandergestrickt werden können.

Beim Entwurfsprozess springen Sie weiterhin zwischen analogem und digitalem Prototyping. Sobald Sie die Eigenheiten der verschiedenen Patchtypen genügend erkundet haben, können Sie auch streckenweise ganz im Layoutprogramm arbeiten oder Font-Editoren wie *Glyphs* oder *Fontlab* verwenden.

Eine kostenfreie Alternative für einfache Entwürfe ist das Font-Building-Tool *FontStruct*, mit dem Sie online Schriften entwerfen und als Font herunterladen können. Die Einzelbausteine können Sie zu *Composite Bricks* kombinieren, die Ihren Patchtypen entsprechen.

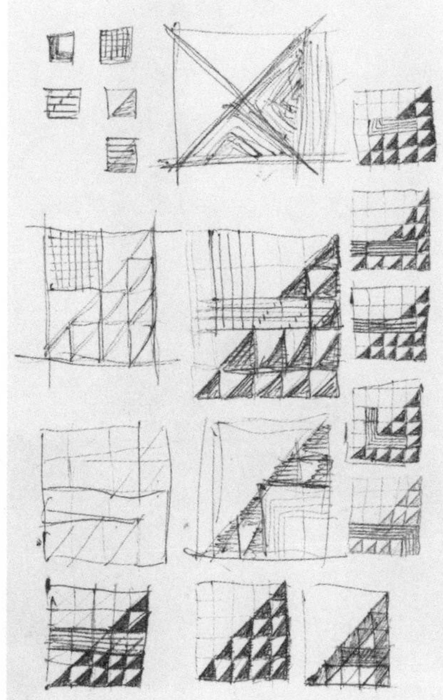

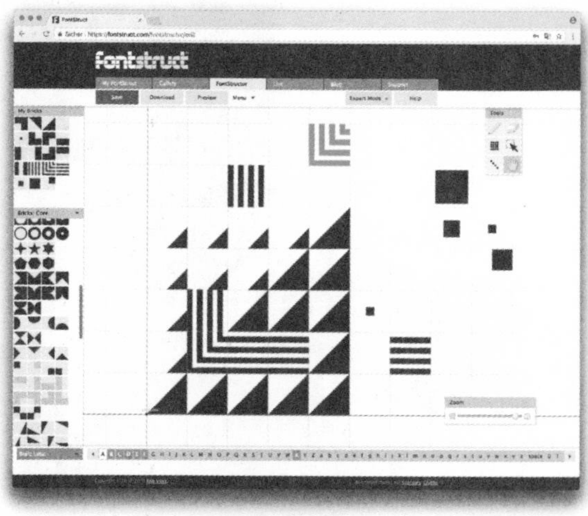

Im *FontStructor* können Sie aus bestehenden Bausteinen auswählen oder neue kombinieren.

SCHRIFT: CUSTOM (FONTSTRUCT)
TECHNIK: MODUL + DIAGONAL CORNER PATCH

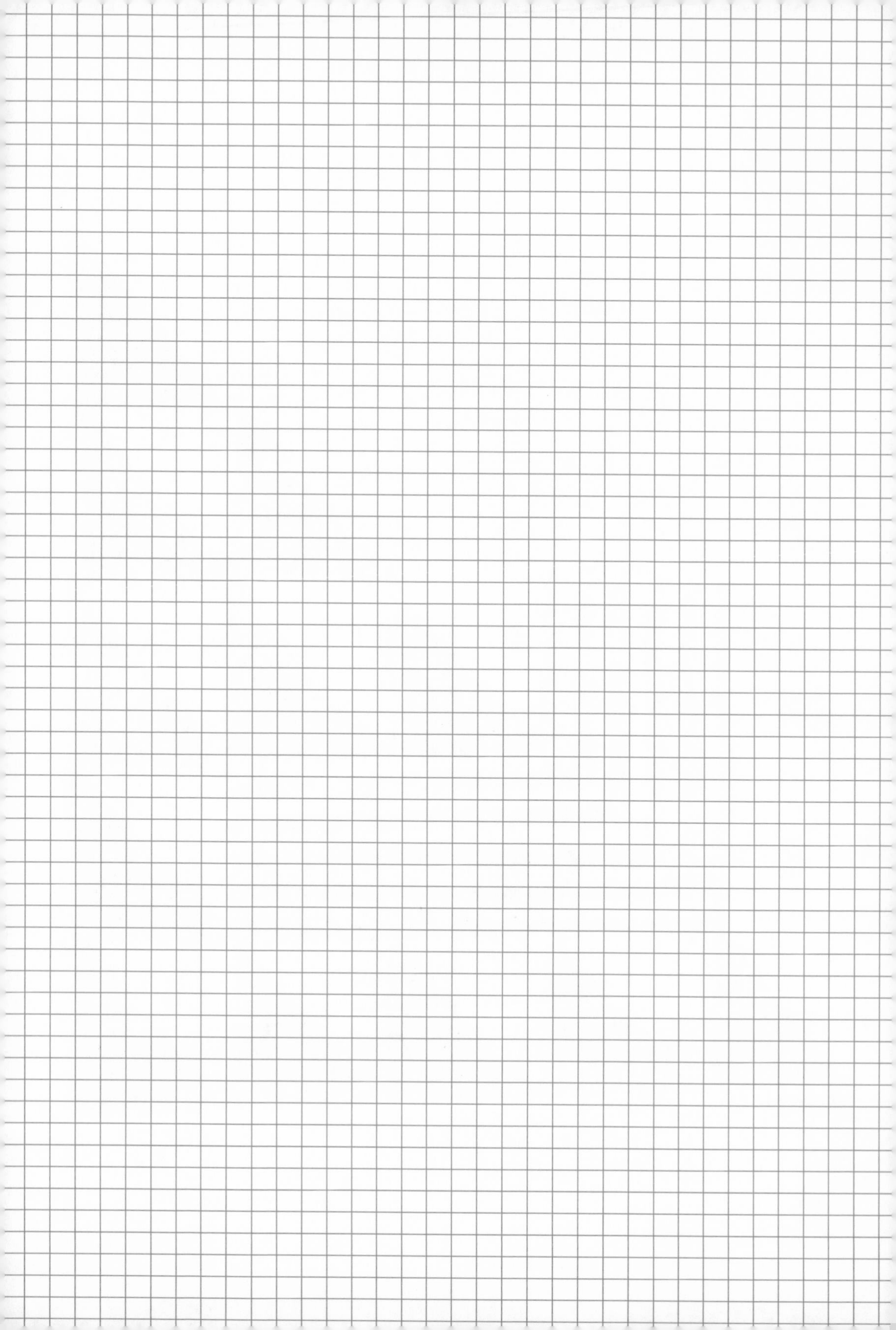

VI.

OBJEKT-VORLAGEN

Ausgewählte Strickvorlagen

Nach Ihren ersten Probepatches und Testbuchstaben können Sie Ihre *Typeknitting*-Praxis auf ganze Objekte ausweiten. Hier finden Sie einige Vorlagen, die beispielhaft zeigen, wie sich bestehende Strickmuster modifizieren oder eigene Modelle erstellen lassen. Viele weitere Vorlagen finden Sie zum Beispiel auf Ravelry. Bei allen ist es sinnvoll, vorab einige Maschenproben oder Testpatches zu stricken, um einen Eindruck von Textur und Größen zu bekommen.

MOVABLE-TYPE-KISSEN

Machen Sie Ihr Sofa zur Hall of Fame Ihrer *Typeknitting*-Skills und zur Spielwiese beweglicher Lettern! Bei Kissen können Sie mit Schrift und Mustern experimentieren, ohne sich über Schnitt und Tragbarkeit Gedanken zu machen. Die quadratische oder rechteckige Form eignet sich für alle Techniken und Größen. Sie können auch all Ihre bisherigen Probebuchstaben und -patches zu einem Sampler zusammenfügen.

Für Kissenbezüge benötigen Sie im Grunde kein Strickmuster. Vorder- und Rückseite haben das gleiche Format und werden am Rand aneinandergestrickt [→ S. 87]. Planen Sie ca. 1–2 cm Rand mit ein, da der beim Zusammenstricken innen verschwindet. Auf der Rückseite fügen Sie noch einen Streifen mit Knopflöchern ein.

Ein Beispiel für Kissenbezüge finden Sie auf lanarta.de/2018/07/30/pimp-your-couch.

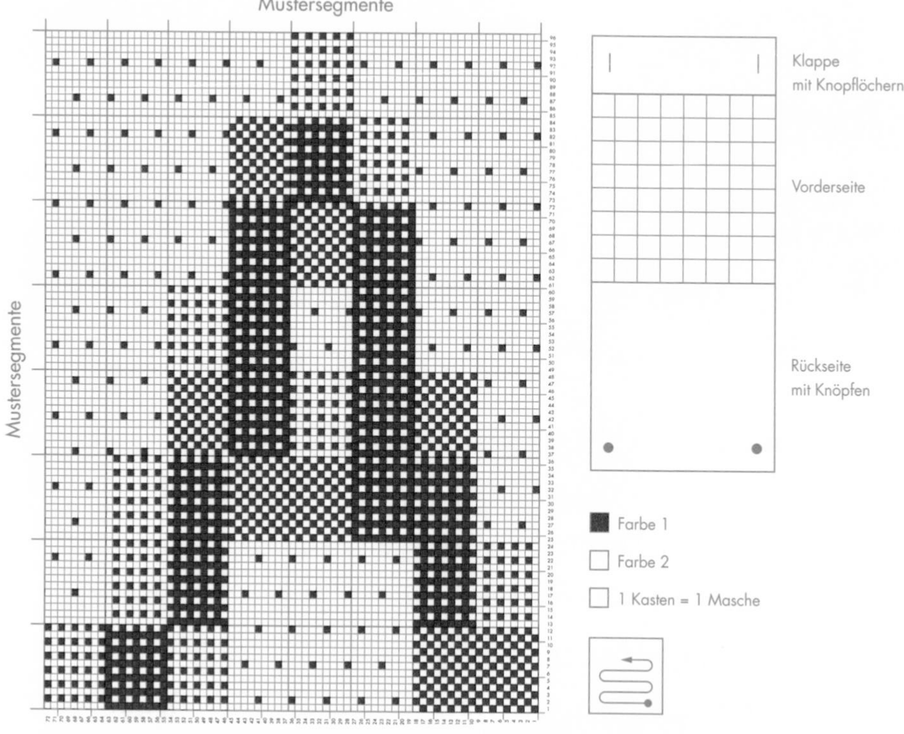

ABCDEFGHIJKLMN
OPQRSTUVWXYZ#

Helvetica (Screenshot in 10 pt)

SCHRIFT: HELVETICA 8PT (MAX MIEDINGER)
TECHNIK: GRAUSTUFEN DURCH MASCHENMUSTER [→ S. 100]
MATERIAL: LANA GROSSA BINGO (Ø 5)

REMIX-FANSCHAL

Ein Remix-Fanschal gehört in jede digitale Fankurve. Sammeln Sie sich Pixelgrafiken von Fanschals und stricken Sie eine eigene Botschaft oder einen Hashtag.

Für die Vorlage legen Sie in Photoshop eine Datei mit einem Pixelmaß an, das der der Maschenhöhe des Schals entspricht. 40–46 Maschen bzw. Pixel sind ein gutes Mittelmaß. Anschließend exportieren Sie die Grafik als PNG-Datei mit der gewünschten Anzahl von Farben. (Je schlechter und verrauschter die Grafikvorlage, desto interessanter wird dabei übrigens der *Dithering*-Effekt.)

Eine Pixelgrafik oder eine abfotografierte Collage können Sie auch mit dem Tool *KnitPro* in ein Strickmuster umwandeln: microrevolt.org/knitPro.

Modifizieren Sie die Vorlage [→ S. 25] und stricken Sie mit Jacquard- oder Intarsienstrickerei. Verwenden Sie zwei- oder dreifarbige Intarsien für die einzelnen Buchstabenabschnitte. Die Anschlagsreihe ist die kurze Seite, die Strickrichtung wählen Sie je nach Motiv [→ S. 22]. Um zu vermeiden, dass sich der Schal zusammenrollt, stricken Sie abwechselnd jeweils zwei *rechte* und zwei *linke* Maschen.

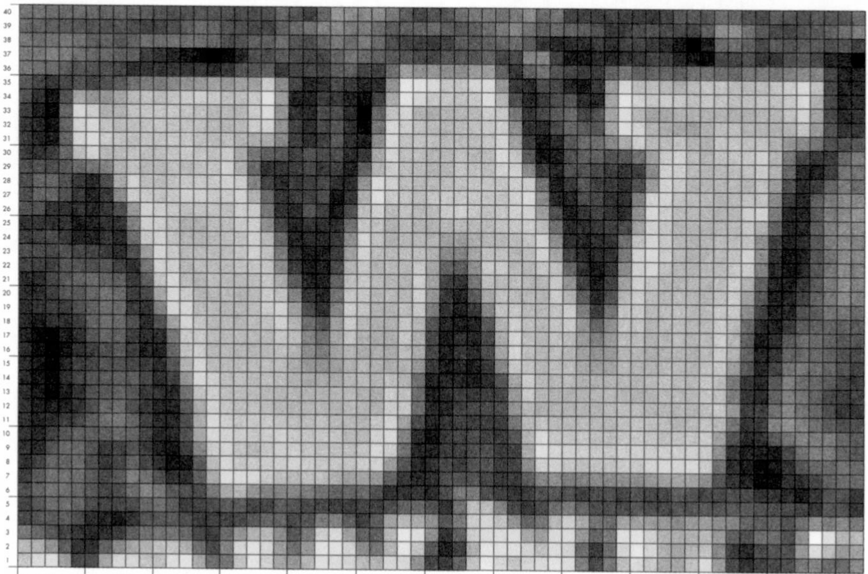

KnitPro übernimmt die Pixelmaße Ihrer Bildvorlage.

– REMIX-FANSCHAL –

SCHRIFT: FANSCHAL-ELEMENTE
BEARBEITUNG: FARBREDUKTION, PIXELWIEDERHOLUNG
TECHNIK: INTARSIEN, *GLATT + KRAUS RECHTS*

DOUBLE-FACE-MÜTZE

Beim *Double-Face* stricken Sie gleichzeitig Vorder- und Rückseite, so dass Sie die Mütze auch wenden können. Gleichzeitig erhalten Sie als Ergebnis ein festeres Gestrick. Da beim *Double-Face* das Zunehmen von Maschen einfacher ist als das Abnehmen, beginnen Sie die Mütze am oberen Ende und stricken nach unten.

Das Grundelement der Mütze hat eine Breite von 10 Maschen. 8 Grundelemente nebeneinander ergeben die Gesamtbreite von 80 Maschen. Bei einer Nadelgröße von 6 mm ergibt das einen Kopfumfang von 52 cm. Für größere Größen verwenden Sie eine stärkere Nadel oder dickeres Garn.

Ihr Motiv ist im Bereich der Reihen 30 bis 59 am besten lesbar. Sie verwenden einen Musterrapport von 10 (8 × wiederholen), 20 (4 ×) oder 40 (2 ×) Maschen oder führen das Motiv über die gesamte Breite.

Wenn Sie statt einer Mütze einen Loop-Schal gestalten möchten, stricken Sie gleich von Anfang an alle 80 Maschen inklusive der sonst ausgesparten Maschen auf den Reihen 1–17.

Gute Beispiele und Anleitungen finden Sie unter der englischen Bezeichnung *Double Knitting*, zum Beispiel auf double-knitting.com.

Für die Mütze schlagen Sie anfangs nur jede 10. Masche an und nehmen dann in den Folgereihen zu.

Für einen Loop-Schal stricken Sie von Anfang an diese Bereiche mit.

SCHRIFT: ELEMENTAR [→ S. 193–195]
TECHNIK: DOUBLE-FACE, *GLATT RECHTS*
MATERIAL: LANG YARNS MERINO+ (Ø 6)
VORLAGE: MERET BÜTZBERGER

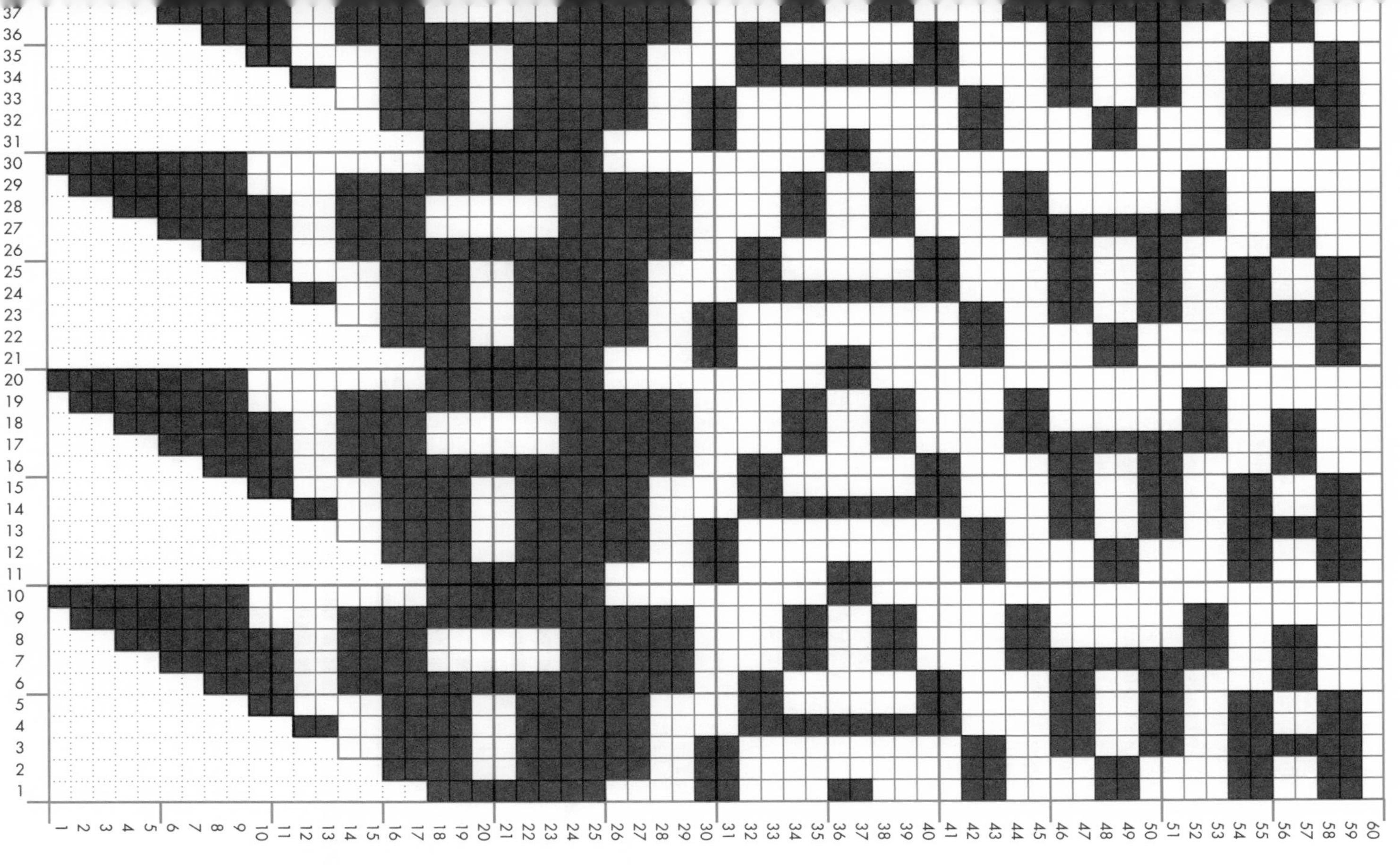

Farbe 1 Farbe 2

1 Kasten = 1 Masche

SELBU-HANDSCHUHE

Die Handschuhe basieren auf dem klassischen norwegischen *Selbu-Votter*, den 1857 die 15-jährige Hirtin Marit Gulsetbrua aus dem norwegischen Selbu erfand*.

Auf *Ravelry* finden Sie zahlreiche Interpretationen wie den *Generic Norwegian Mitten Chart* von Adrian Bizilia, auf dem auch diese Vorlage basiert. Das Original-Strickmuster und viele weitere Umsetzungen finden Sie auf ravelry.com/patterns/library/generic-norwegian-mittens.

Die Blankovorlage können Sie leicht mit eigenen Initialen oder Mustern versehen. Auf dem Rand und am Bündchen können Sie zudem geheime Botschaften mit Morsecode und Brailleschrift platzieren.

Sie stricken die Handschuhe mit Nadelspiel in Jacquard-Strickerei. Dafür sollten Sie schon Praxiserfahrung mit mehrfarbigem Stricken und z. B. Sockenstricken haben, da Ihnen die fünf Nadeln sonst leicht aus der Hand gleiten.

Wenn bei Ihrem Motiv ein Rückfaden über 7 Maschen geht, weben Sie ihn ein, um nicht mit den Fingern darin hängen zu bleiben. Kleinformatige Musterrapporte eignen sich daher besonders, da so nur kürzere Spannfäden entstehen.

MORSECODE

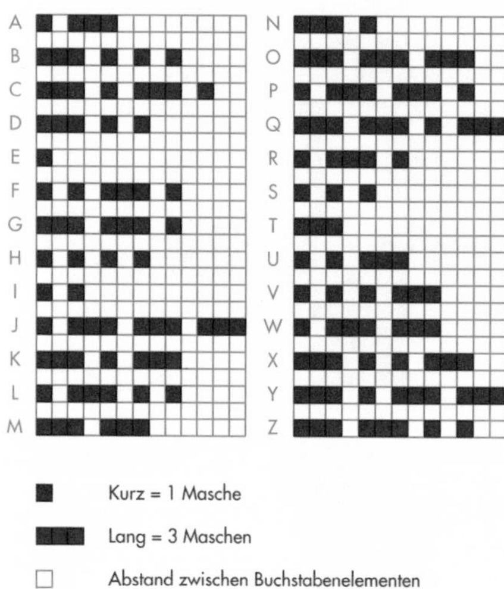

BRAILLESCHRIFT

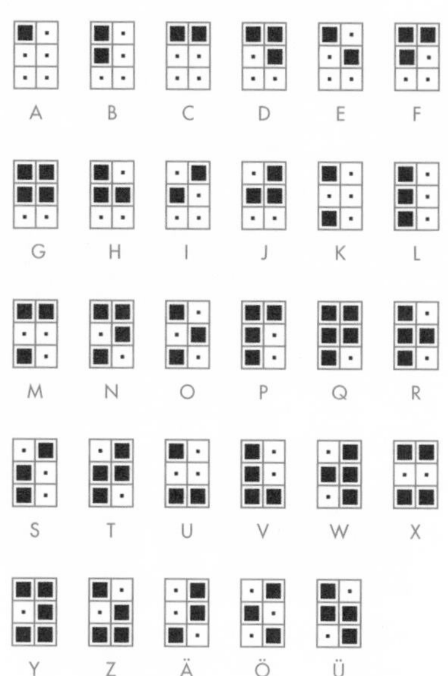

* Quelle: www.norwegenportal.de/dnf/_neu/kultur-mainmenu-44/husflid/selbu-votter (7.4.2018), Gabriela Meyer

SCHRIFT: GEM DESKTOP 2.0 [→ S. 192]
TECHNIK: JACQUARD RUNDGESTRICKT, *GLATT RECHTS*
MATERIAL: LANG YARNS MERINO+ (Ø 4,5)
VORLAGE: ADRIAN BIZILIA

48 47 46 45 44 43 42 41 40 39 38 37 36 35 34 33 32 31 30 29 28 27 26 25 24 23 22 21 20 19 18 17 16 15 14 13 12 11 10 9 8 7 6 5 4 3 2 1
Morsecode
Brailleschrift

ANLEITUNG

<u>*Maschenprobe:*</u> Hier hat die Maschenprobe größere Bedeutung, weil sich Jacquard-Gestricktes stärker zusammenzieht (fast im Verhältnis 1:1). 24–25 Maschen pro 10 cm ergeben einen Handschuh mit 19 cm Umfang (Ober-/Unterseite je 8,5 cm, Seitenhöhe 1 cm) und 22,5 cm Gesamthöhe (17,5 cm Innenteil, 5 cm Bündchen), also einen kleinen Frauen- oder mittelgroßen Kinderhandschuh.

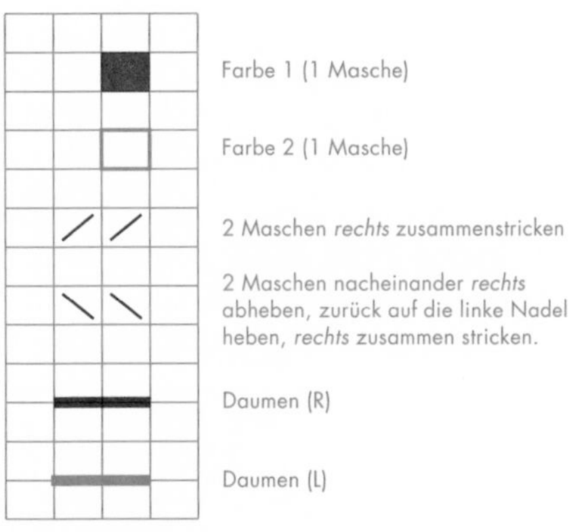

<u>*Größe:*</u> Zum Vergrößern oder Verkleinern verwenden Sie eine andere Nadelgröße und dünneres bzw. dickeres Garn. Zielen Sie auf einen Umfang, der ca. 1,5 cm größer ist als der Umfang Ihrer Hand an der Handfläche. Für Kindergrößen verwenden Sie Garn für die Nadelstärke 2–3 mm, für Herrengrößen Garn für die Nadelstärke 4–4,5 mm.

<u>*Stricken:*</u> Schlagen Sie 48 Maschen in Farbe 1 locker an. Stricken Sie eine Runde *rechts* weiter. Nehmen Sie Farbe 2 dazu und stricken Sie 1×1 Rippenbündchen mit Farbe 1 *rechts*, Farbe 2 *links*. Nach 4–5 cm Bündchen weiter gemäß Vorlage. Das Motiv auf Ober- und Unterseite stricken Sie in Farbe 2, den Morsecode am Seitenrand in Farbe 1.

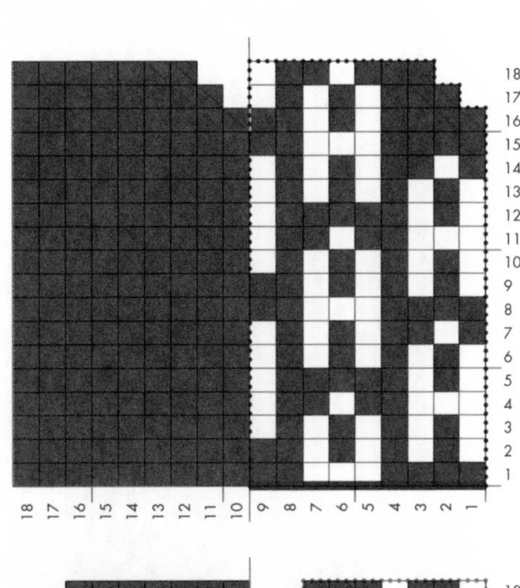

<u>*Daumen:*</u> An der Daumenlinie stricken Sie ein Reststück Wolle ein, nehmen dieselben Maschen gleich wieder auf die linke Nadel und stricken sie nochmals gemäß Vorlage. Nachdem Sie den Handschuh fertig gestrickt haben, entfernen Sie dieses Reststück wieder, nehmen die Maschen auf die Nadel und stricken an dieser Stelle das Daumenstück an.

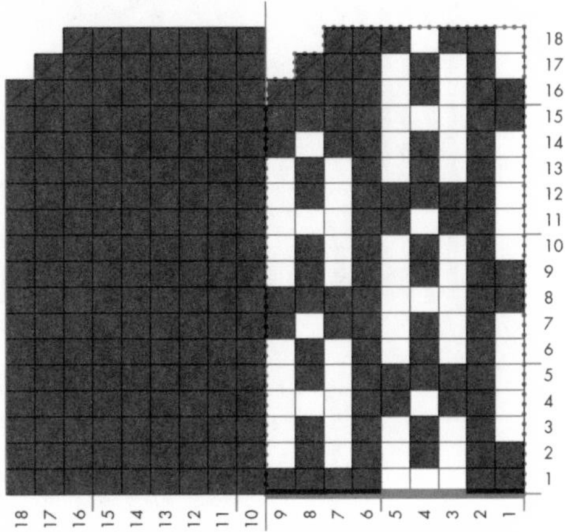

ILLUSION-KNITTING-DECKE

Die Illusion-Knitting-Methode (oder auch *Schattenstricken*) beruht auf abwechselnden Doppelreihen in zwei Farben. Das Motiv wird bei Farbe 1 durch den Wechsel von *kraus rechts* zu *glatt rechts* gebildet (und bei Farbe 2 genau anders herum). Durch die so entstehende Reliefstruktur ist das Motiv nur von der Seite sichtbar.

Mit etwas Vorbereitungsaufwand können Sie auf diese Weise auch Bildmotive stricken. Ein Tutorial zur Anfertigung eigener Strickmuster finden Sie auf illusionknitting.woollythoughts.com/tigertutorial.html.

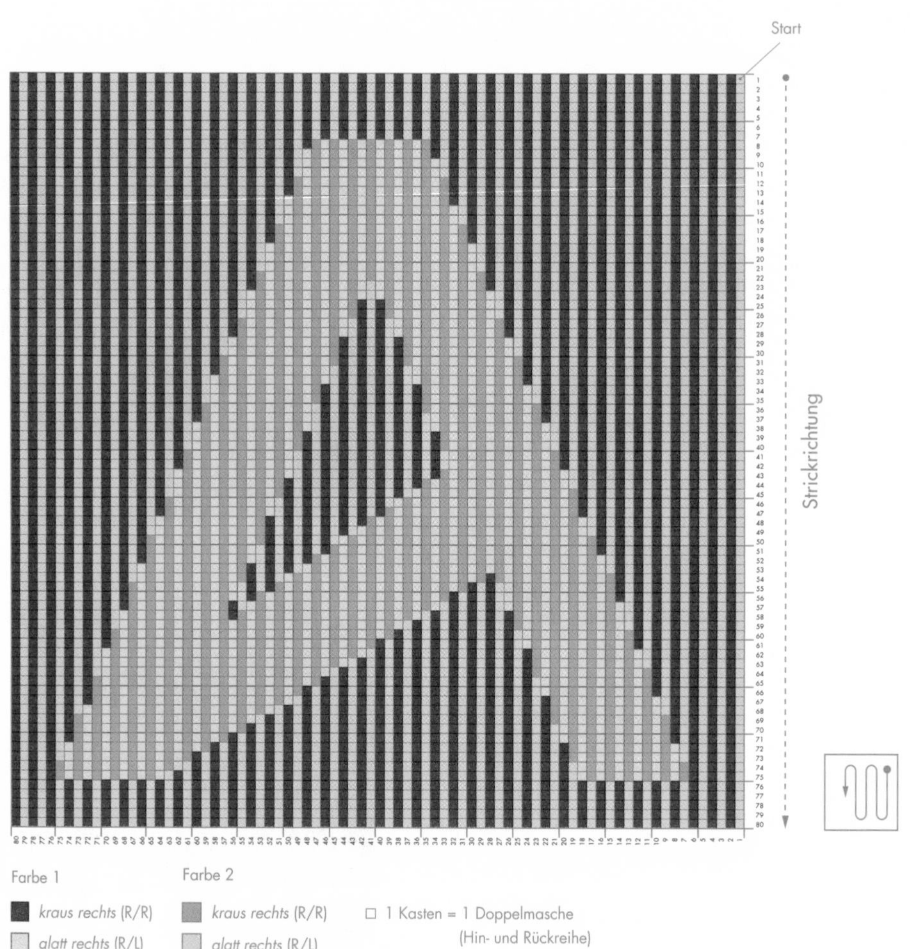

SCHRIFT: LŸNO (KARL NAWROT & RADIM PESKO) [→ S. 212]
TECHNIK: ILLUSION KNITTING, *GLATT + KRAUS RECHTS* [→ S. 109]
MATERIAL: LANA GROSSA COOL WOOL BIG (Ø 4,5)
VORLAGE: PAT ASHFORTH & STEVE PLUMMER

PATCHWORK-PULLOVER

Diesen Pullover stricken Sie mit einfarbigen Patches in *kraus rechts*. Hierfür sollten Sie bereits etwas Erfahrung im Patchworkstricken gesammelt haben [→ S. 80]. Als Motiv verwenden Sie einen Screenshot oder eine Photoshopdatei in 72 dpi, deren Pixelmaß der Anzahl der später verwendeten Patchflächen entspricht. Reduzieren Sie die Dokumentfarben auf die gewünschte Anzahl und vergrößern Sie das Motiv mit der Option *Pixelwiederholung*.

Als Material suchen Sie Garnsorten mit der benötigten Menge an Farbtönen oder mischen Sie mehrere Garne [→ S. 136]. Beachten Sie beim Stricken, dass Pullover durch ihr Eigengewicht leicht ausleiern können, stricken Sie also eher fest.

Für den Schnitt verwenden Sie ein Kimono-Prinzip mit rechteckigen Grundflächen als Ausgangspunkt. Der Halsausschnitt sitzt vor der Mittelachse. Anhand eines Referenzpullovers ermitteln Sie die genauen Flächenmaße. Legen Sie sich ein Papiermuster an, auf dem Sie das Patchraster markieren.

Zum Anpassen des Schnitts hilft Ihnen die Eigenheit des Patchworkstrickens, dass Sie Patches einfach anstricken und wieder entfernen können. Stricken Sie Vorder- und Rückseite sowie Ärmel erst einzeln und häkeln Sie sie lose auf links mit einem Knüpfhaken zusammen. So können Sie zwischendurch anprobieren und modifizieren. Am Schluss stricken Sie noch die Bündchen an.

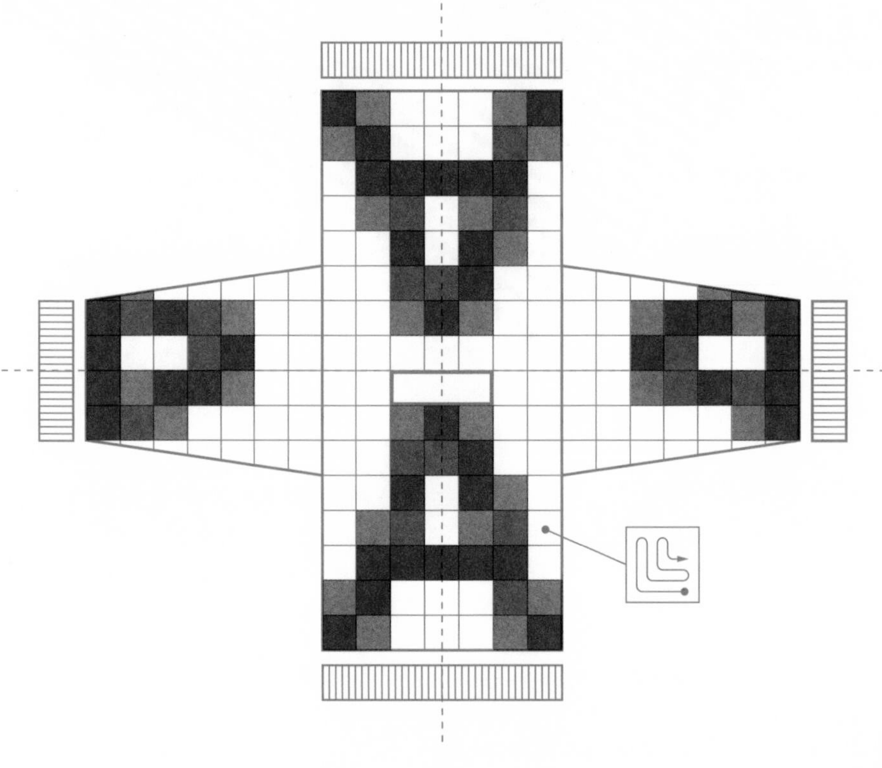

SCHRIFT: HELVETICA (MAX MIEDINGER)
TECHNIK: CORNER PATCH (11 x 11 M) [→ S. 81, 128]
MATERIAL: LANG YARNS MERINO 50 (Ø 9)

HEBEMASCHEN-PULLOVER

Um einen Pullover mit ausgefeilterem Schnitt zu stricken, nehmen Sie entweder einen gut passenden Pullover als Vorlage und zeichnen sich daraus ein Papiermuster ab. Oder greifen Sie auf bestehende Vorlagen zurück und modifizieren diese.

Auf *Ravelry*, *Pinterest* und den Websites vieler Wollhersteller finden Sie einfache Strickmuster mit dazugehöriger Materialangabe. Auch alte Strickpublikationen geben eine Menge her. Suchen Sie nach interessanten Grundstrukturen, die Sie zu einer Schrift abändern, oder in die Sie ihre Schriftart einbetten können.

Um die optimale Nadelstärke herauszufinden, stricken Sie mehrere Maschenproben mit unterschiedlichen Nadelstärken (in Orientierung an die angegebene Nadelstärke auf der Garnbanderole). Anschließend waschen Sie diese. Fotografieren und messen Sie die Maschenproben vor und nach dem Waschen zur Orientierung.

Testen Sie mit den Maschenproben auch die Wirkung von verschiedenen Vorder- und Hintergrundfarben. Durch die Reliefstruktur der Hebemaschen entstehen zusätzliche Schatteneffekte, die sich im Layout nur schwer vorhersehen lassen.

SCHRIFT: CUSTOM
TECHNIK: HEBEMASCHEN ALS LINIE [→ S. 112]
MATERIAL: LANG YARNS MERINO 120 (Ø 3,5)

HEBEMASCHEN-PULLOVER

Größen: 46 / 48–50 / 52–54
Modellmaße: Oberweite 106 / 112 / 116 cm, Länge 66 / 68 / 70 cm. (Die Angaben sind der Größe nach angegeben und mit Schrägstrich getrennt. Ist nur eine Zahl notiert, gilt diese für alle drei Größen.)

MATERIAL

Wolle: Lang Yarns Merino 120 (100 % Schurwolle), 500 / 550 / 600 g Rot 34.0060 (Farbe 1), 500 / 550 / 600 g Offwhite 34.0002 (Farbe 2)
Stricknadeln: 3,5

STRICKMUSTER I (RIPPENBUND)

In rot mit Nadeln 3,5 stricken. 1. Reihe: * 1 Masche *rechts*, 1 Masche *links*, ab * fortlaufend wiederholen. 2. Reihe und alle weiteren Reihen: Die Maschen stricken, wie sie in der Vorreihe erscheinen (*rechte* Maschen *rechts* und *linke* Maschen *links*).

STRICKMUSTER II (MUSTERRAPPORT)

Ungerade Doppelreihen in *glatt rechts*, gerade Doppelreihen in *kraus rechts* (mit dem Motiv aus Hebemaschen) stricken. Schriftzug in geraden Doppelreihen aus Hebemaschen gemäß Vorlage.

MASCHENPROBE MUSTERRAPPORT

Maße auf 10 × 10 cm:
Nadel 3,5 mm: 25 M / 42 Reihen (= 21 DR)
Nadel 4 mm: 23 M / 41 Reihen (= 20,5 DR)

RÜCKENTEIL

Bündchen: Muster I in rot mit 121 / 127 / 133 M anschlagen, 6 cm stricken.
Musterrapport: Im Muster II weiterarbeiten, vorab definieren, welcher Teil des Rapports in der Mitte liegen soll.
Armausschnitt: 40 cm ab Anschlagsreihe beidseitig 3 / 4 / 5 M abk., dann für alle drei Größen 1 × 3, 2 × 2, 3 × 1 M abk. Die restl. 95 / 99 / 103 M weiterarb. Nach 20 / 22 / 24 cm Armausschnitthöhe für die Achseln 4, 5, 4, 5, 4, 5 M abk. *Halsausschnitt:* Gleichzeitig mit der 4. Achselstufe die mittleren 11 / 15 / 19 M abk. und beids. davon 7 bis 8 M abk.

VORDERTEIL

Mit Ausnahme des Halsausschnittes gleich str. wie Rückenteil. *Halsausschnitt:* Gleichzeitig mit der Achselbeschrägung die mittleren 11 / 15 / 19 M abk. und beids. davon 5, 4, 3, 2, 1 M abk.

ÄRMEL

Bündchen: Muster I in rot mit 61 / 65 / 69 M anschlagen, 6 cm stricken. *Musterrapport:* Dabei in der 1. R gleichmäßig verteilt 8 M aufn. und das Muster von der Mitte aus einteilen. Beids. 15 × alle 2,5 cm 1 M aufn. Beim »KNIT«-Musterrapport stricken Sie die Achsel-Zwischenstücke so, dass die vertikalen Linien der Buchstaben »K« und »N« die Linien der Schulterpasse bilden (die Maschen 19–38 liegen mittig). Stricken Sie hier die Mustermaschen zuzüglich Randmaschen zum Nähen.

AUSARBEITEN

Die Teile spannen, feuchte Tücher darüberlegen und trocknen lassen. Nähte schließen, dabei die letzten 13 cm von den Ärmeln als Achsel-Zwischenstück einsetzen. Rund um den Halsausschnitt 130 / 138 / 146 M in rot auffassen, 6–7 cm hoch im Muster I stricken, abk. und zur Hälfte nach innen nähen. Dann Ärmel befestigen und abschließend Seiten- und Ärmelnaht in einem Zug im Matratzenstich schließen.

ABKÜRZUNGEN

abk. = abketten
abw. = abwechselnd
anschl. = anschlagen
aufn. = aufnehmen
beids. = beidseitig
DR = Doppelreihe
HM = Hebemaschen
li. = links
M = Masche
N = Nadel
Rdm. = Randmasche
R = Reihe
re. = rechts
restl. = restliche
seitl. = seitliche
str. = stricken
wdh. = wiederholen
weiterarb. = weiterarbeiten

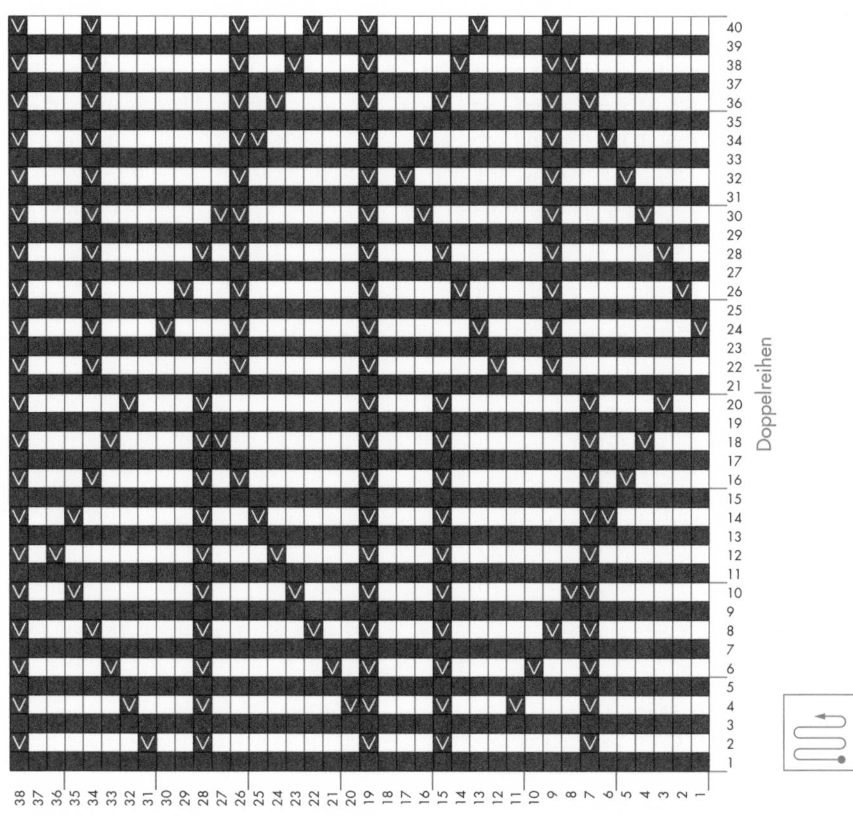

Maschen

■ Farbe 1 □ Farbe 2

□ 1 Kasten = 1 Doppelmasche (Hin- und Rückreihe)

DR 1,3,5 (...) = *glatt Rechts* (Farbe 1)

DR 2,4,6 (...) = *kraus Rechts* (Farbe 2) + HM (Farbe 1)

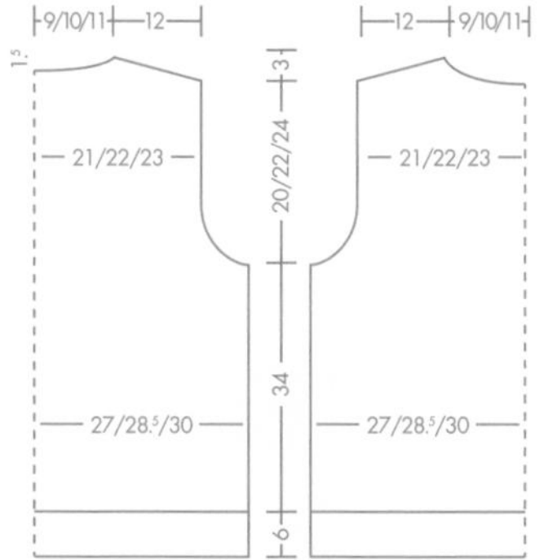

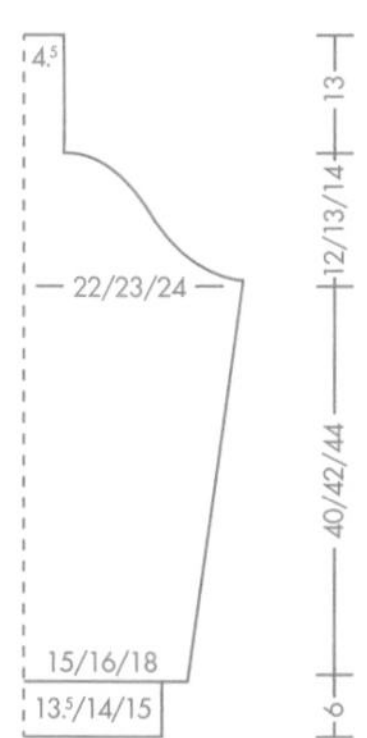

KINDERPULLOVER INTARSIEN

Nicht ohne Grund finden Sie so viele Kinder- und Baby-Kleidungsanleitungen auf dem Markt. Kleine Mützen oder Pullover sind auch mit weniger Vorerfahrung relativ leicht zu stricken, was einen geringeren Zeit- und Materialaufwand bedeutet. Sie sind gute Anfangsprojekte, um im kleinen Rahmen Ihr *Typeknitting* zu verbessern – und super Geschenke!

Ein aktuelles Strickmuster zu modifizieren hat den Vorteil, dass Sie auch gleich die angegebenen Materialen erhalten. Garnkollektionen ändern immer wieder mal ihre Farben. Schauen Sie vorab, welche Farben es in der benötigten Menge gibt oder suchen Sie ähnliches Garn. Das Motiv zeichnen Sie am besten auf einem Papiermuster ein, das Sie beim Stricken direkt abgleichen können.

KINDERPULLOVER 1 – INTARSIEN

Größen: 2 – 3 / 4 – 5 / 6 Jahre
= 92 – 98 / 104 – 110 / 116
Modellmaße: Oberweite 68 / 74 / 80 cm
Länge 37 / 41 / 45 cm

MATERIAL

Wolle: Lang Yarns Yak (50 / 50 % Yak, Merino)
Grundfläche: 150 / 150 / 200 g = 3 / 3 / 4 Knl. Melone 772.0029, *Arme / Bündchen:* je 50 g = 1 Knl. Beige 772.0026, Olive Hell 772.0197, Atlantic 772.0074, *Buchstabe:* 50 g = 1 Knl. Offwhite 772.0094, *Stricknadeln:* Nadel Nr 4½ und 5.
1 kurze Rundstricknadel Nr 4½.

MUSTER

Muster I: N Nr 4,5: 1 M *rechts*, 1 M *links*.
Muster II: N Nr 5: *glatt rechts*

MASCHENPROBE

Maße auf 10 x 10 cm:
Nadel Nr 5: 19 M / 24 R

RÜCKENTEIL

Anschl mit N Nr. 4,5 und Atlantic 65 / 69 / 73 M. Im Muster I str. Bei 6 cm ab Anschl mit Melone im Muster II weiterstr. Bei 24 / 27 / 30 cm ab Anschl. (hängend messen) beids. die Höhe bezeichnen. Gerade weiterstr. Schultern: Bei 13 / 14 / 15 cm ab Bezeichnung beids. jede 2. R 2 x 10 M / 1 x 10 M + 1 x 11 M / 2 x 11 M abk. Anschließend die restlichen 25 / 27 / 29 M für den Halsausschnitt abketten.

VORDERTEIL

Wie am Rückenteil stricken. *Motiv:* als Intarsie in Offwhite. *Halsausschnitt:* Bei 31 / 35 / 38 cm ab Anschl. die mittleren 9 / 11 / 13 M abk. und beids. davon jede 2. R noch 1 x 3 M, 2 x 2 M und 1 x 1 M abk. Die Schultern in gleicher Höhe und wie am Rückenteil schrägen.

ÄRMEL

Rechter Ärmel: Anschl. mit N Nr. 4,5 und Melone 38 / 40 / 42 M. Im Muster I str. Bei 6 cm ab Anschl. mit Olive Hell im Muster II weiterstr. Für die seitl. Schrägung beids. abw. jede 6. + 8. R 7 x / 8 x / 9 x 1 M aufn. = 52 / 56 / 60 M. Bei 28 / 31 / 34 cm ab Anschl. alle M locker abk. *Linker Ärmel:* Wie re. Ärmel str., jedoch mit Melone und Beige.

AUSARBEITEN

Nähte schließen, dabei bleiben die Seitenkanten über die Höhe der Bündchen offen. *Kragenbündchen:* Mit der Rundstricknadel und Atlantic ca. 70 / 74 / 80 M auffassen (Rückenteil = 28 / 30 / 33 M, Vorderteil = 42 / 44 / 47 M). Im Muster I rundstr. Bei 4 cm Bündchenhöhe alle M locker abk. Die Ärmel zwischen die Bezeichnungen des Vorder- und Rückenteils einsetzen.

– KINDERPULLOVER –

CHRIFT: ELEMENTAR SANS B [→ S. 193]
ECHNIK: INTARSIEN, *GLATT RECHTS* [→ S. 92]
ATERIAL: LANG YARNS YAK (Ø 4,5 UND 5)

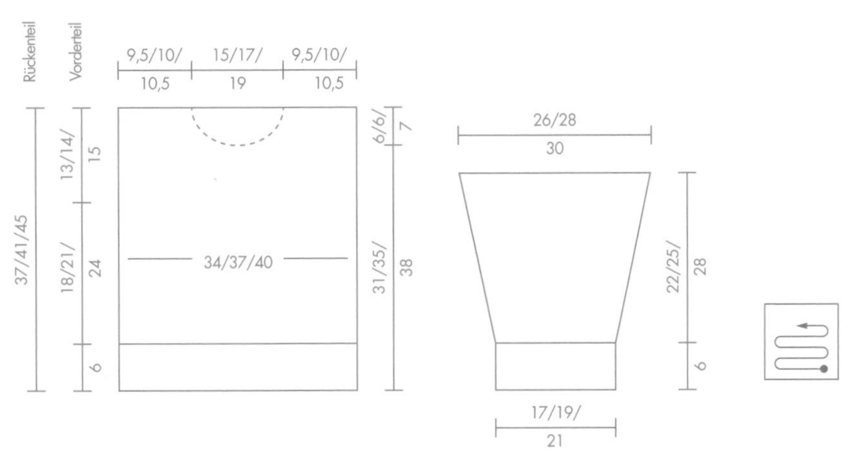

ABKÜRZUNGEN

abk. = abketten	Knl. = Knäuel	R = Reihe
abw. = abwechselnd	li. = links	re. = rechts
anschl. = anschlagen	M = Masche	restl. = restliche
aufn. = aufnehmen	N = Nadel	seitl. = seitliche
beids. = beidseitig	Nr. = Nummer	str. = stricken

KINDERPULLOVER HEBEMASCHEN

Der Schnitt dieses Pullovers basiert auf Kinderpullover 1 (Material: Lang Yarns Merino 120, N 3,5). Als Musterstruktur werden hierbei jedoch Hebemaschen als Raster verwendet [→ S. 116]. Als Schrift wurde die *Calcula* [→ S. 198] hinter ein Rastergitter gelegt, das den Buchstabenstamm vertikal in 5 Pixel bzw. Maschen aufteilt. Dabei sind Maschen 1, 3, 5 weiß gestrickt, Maschen 2, 4 sind Hebemaschen.

Stricken Sie zuerst Vorder- und Rückseite sowie beide Ärmel [1]. Fügen Sie dann erst die Schulternähte zusammen. Für das Kragenbündchen aus der Halskante die Maschen *rechts* heraus stricken und die weiteren Reihen im Bündchenmuster. Bei 4 cm Bündchenhöhe alle Maschen lose abketten. Danach folgen die Ärmel [2]. Am Ende schließen Sie die Seiten- und Ärmelnaht im Matratzenstich.

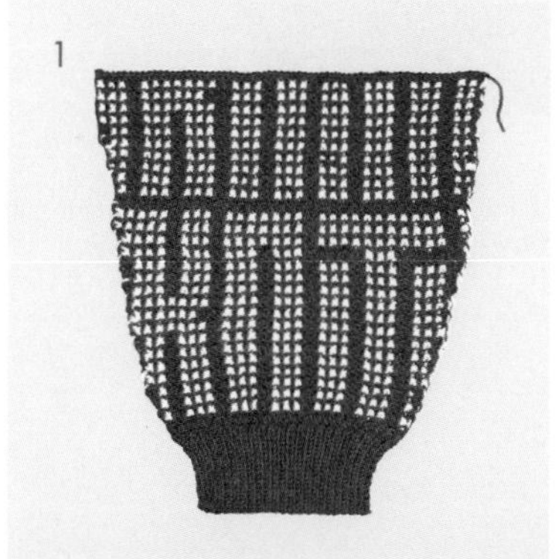
1

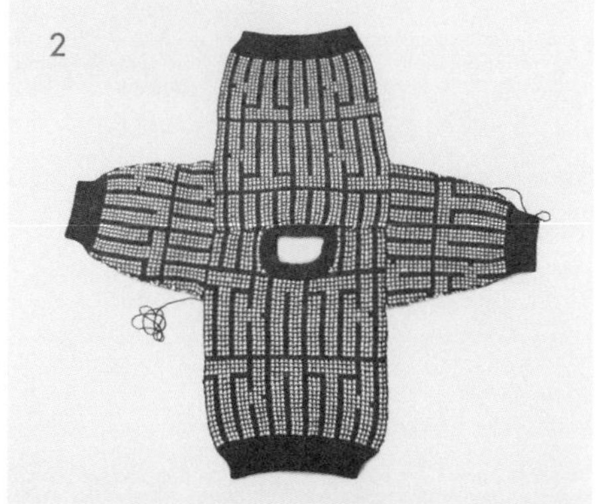
2

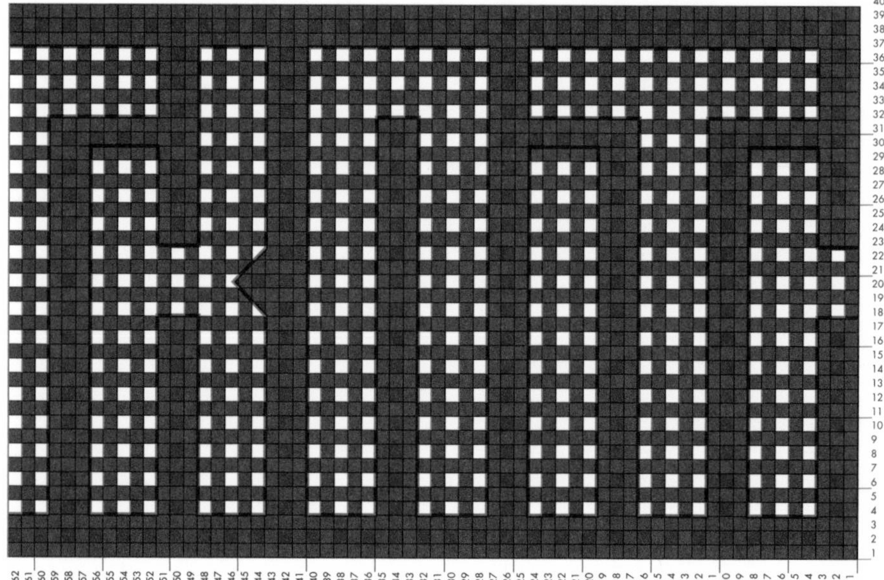

Farbe 1 Farbe 2 Farbe 3

1 Kasten = 1 Doppelmasche (Hin- und Rückreihe)

Maschen

DR 1,3,5 (...) = kraus *Rechts* (Farbe 1)

DR 2,4,6 (...) = *kraus Rechts* (Farbe 2+3) + HM (Farbe 1)

KINDERPULLOVER NORWEGERMUSTER

Dieser Pullover im Stil klassischer Norwegerpullover ist ein anspruchsvolles Projekt für erfahrene Strickprofis. Der Pullover wird *glatt rechts* in Jacquard rund gestrickt und hat keine Nähte außer jeweils ca. 4 cm unter den Armen. (Material: Lang Yarns Merino 120, N 3,5).

Vorder- und Rückenteil stricken Sie an einem Stück mit Rundstricknadeln, ebenso die beiden Ärmel. Damit diese nach oben immer weiter werden, nehmen Sie auf der Innenseite in regelmäßigen Abständen je 2 Maschen pro Runde auf. Das Muster beginnen Sie bei allen drei Teilen ca. 3 cm vor Beginn des Armlochs.

Beim Beginn des Armlochs ketten Sie an beiden Seiten des Vorder-/Rückenteils und an den Ärmeln je ca. 6 Maschen ab (diese werden am Schluss zusammengenäht). Dann nehmen Sie alle Teile auf eine Rundstricknadel in der Reihenfolge *Vorderteil, Ärmel, Rückenteil, Ärmel.*

Fahren Sie mit dem Muster rundherum weiter und stricken Sie 4 Raglanabnahmen, jeweils dort wo Vorder-/Rückenteil sowie Ärmel aufeinandertreffen (pro Runde 8 Maschen abnehmen). Sie stricken 17 Abnahmen jede zweite Runde und 9 Abnahmen in jeder Runde. Das Muster passen Sie hier an. Am Schluss bleiben die Maschen für den Halsausschnitt. Stricken Sie das Kragenbündchen direkt aus den stillgelegten Maschen vorn und hinten, legen Sie es zur Hälfte nach innen und nähen Sie es an.

Sehr hilfreich sind Markierungsfäden nach jedem Musterrapport, d. h. alle 14 Maschen [1]. Achten Sie darauf, dass der hinten mitgeführte Faden nicht zu straff, aber auch nicht zu locker ist. Bei über 7 Maschen in einer Farbe weben Sie den anderen Faden hinten nach ca. 3 Maschen ein, damit die Spannfäden nicht zu lang werden. Dabei verkreuzen Sie die beiden Fäden miteinander.

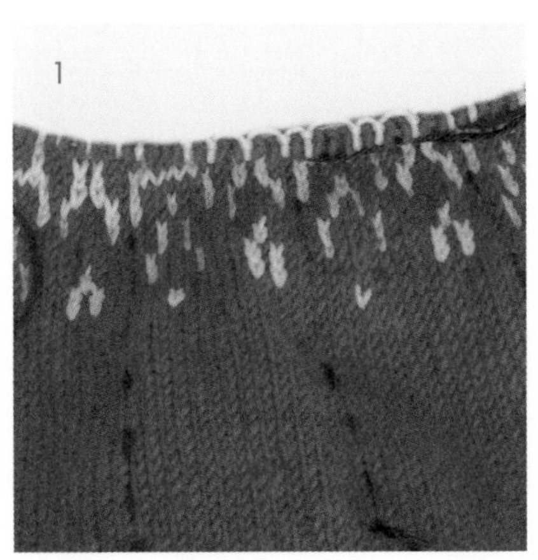
1

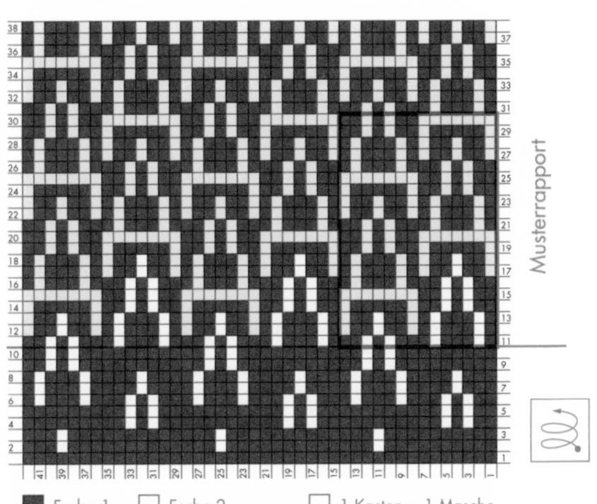

VII.

GRAFIK-RESSOURCEN

Schriften und Rastervorlagen

Nach einigen Strickversuchen erkennen Sie immer leichter, welche Schriften sich gut zum Stricken eignen, welche eher groß funktionieren und welche auch in kleineren Formaten. Auf den Folgeseiten finden Sie einige Pixelfont-Klassiker und Neuinterpretationen. Viele Schriftgestalter und Type Foundries bieten auf ihren Seiten Vorschaufunktionen, anhand derer Sie sich einen guten Eindruck der Schriften oder gleich auch kleine Testgrafiken erstellen können.

ABCDEFG

HIJKLMN

OPQRSTU

VWXYZ#/

ABCDEFG

HIJKLMN

OPQRSTU

VWXYZ*/

0123456

789≡+−*

ABCDEFG
HIJKLMN
OPQRSTU
VWXYZ#/

ABCDEF
GHIJKL
MNOPQ
RSTUV
WXYZ#/

ABCDE
FGHIJ
KLMN
OPQRS
TUVW
XYZ&/

ELEMENTAR SANS A (10 11 1) DESIGN: GUSTAVO FERREIRA TYPOTHEQUE

ELEMENTAR SANS B (14 12 1) DESIGN: GUSTAVO FERREIRA TYPOTHEQUE

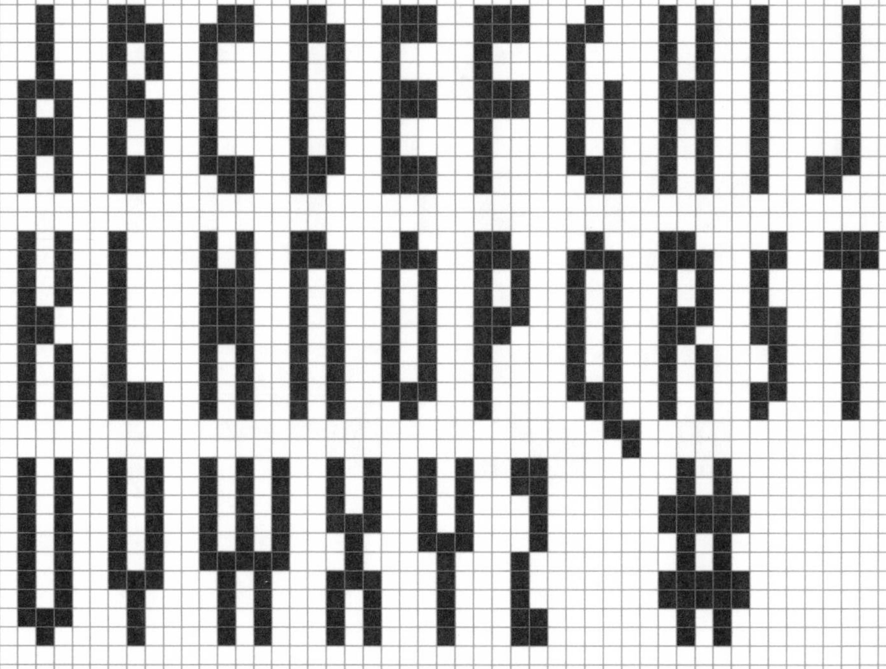

ABCDEFG
HIJKLMN
OPQRSTU
VWXYZ#

ABCDEFG
HIJKLMN
OPQRSTU
VWXYZ*

FUTUR X DESIGN: BINGER LAUCKE SIEBEIN

ABCDE
FGHIJKL
MNOPQ
RSTUVW
XYZ#

abcdef

ghijklmn

opqrstu

vwxyz#

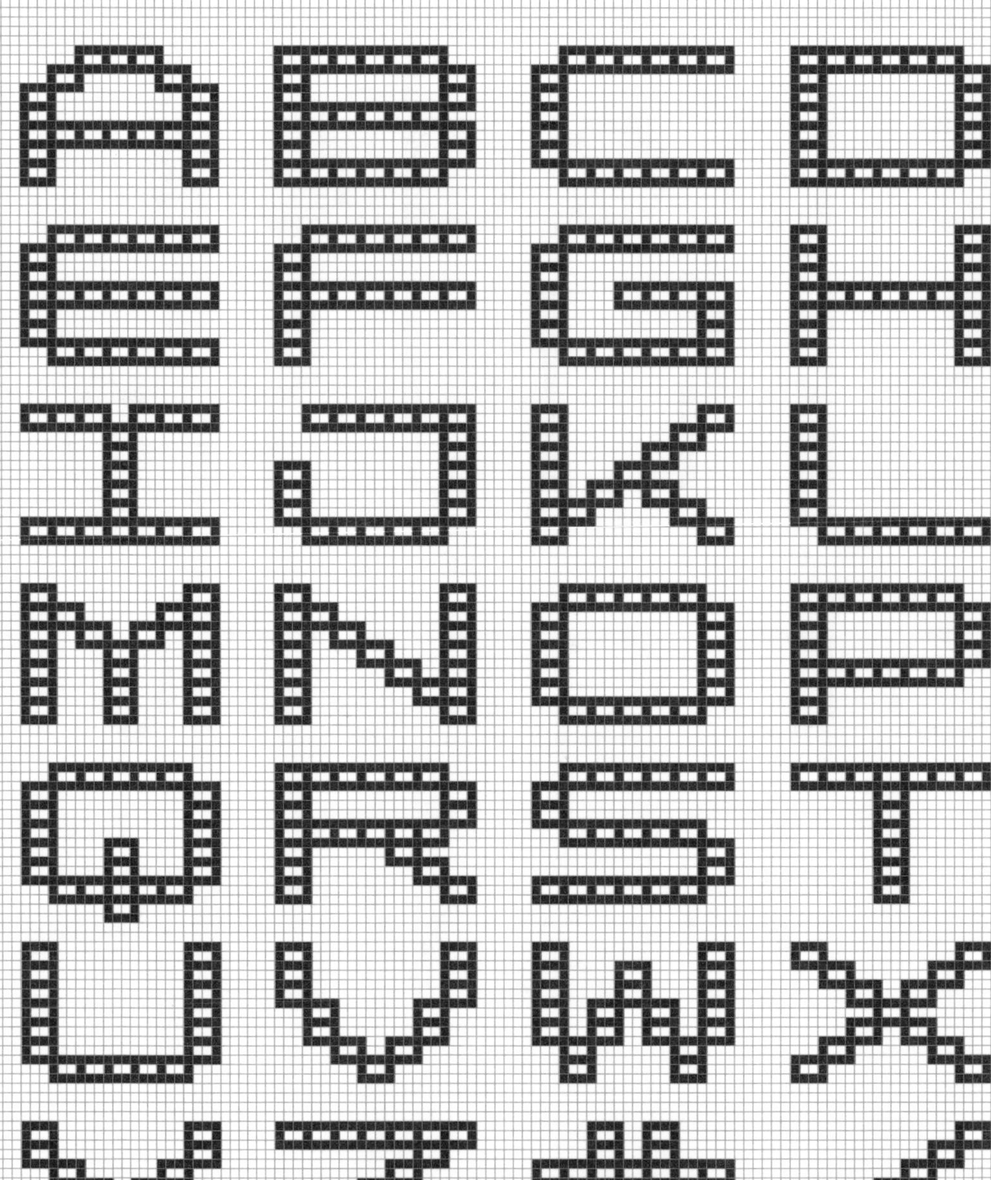

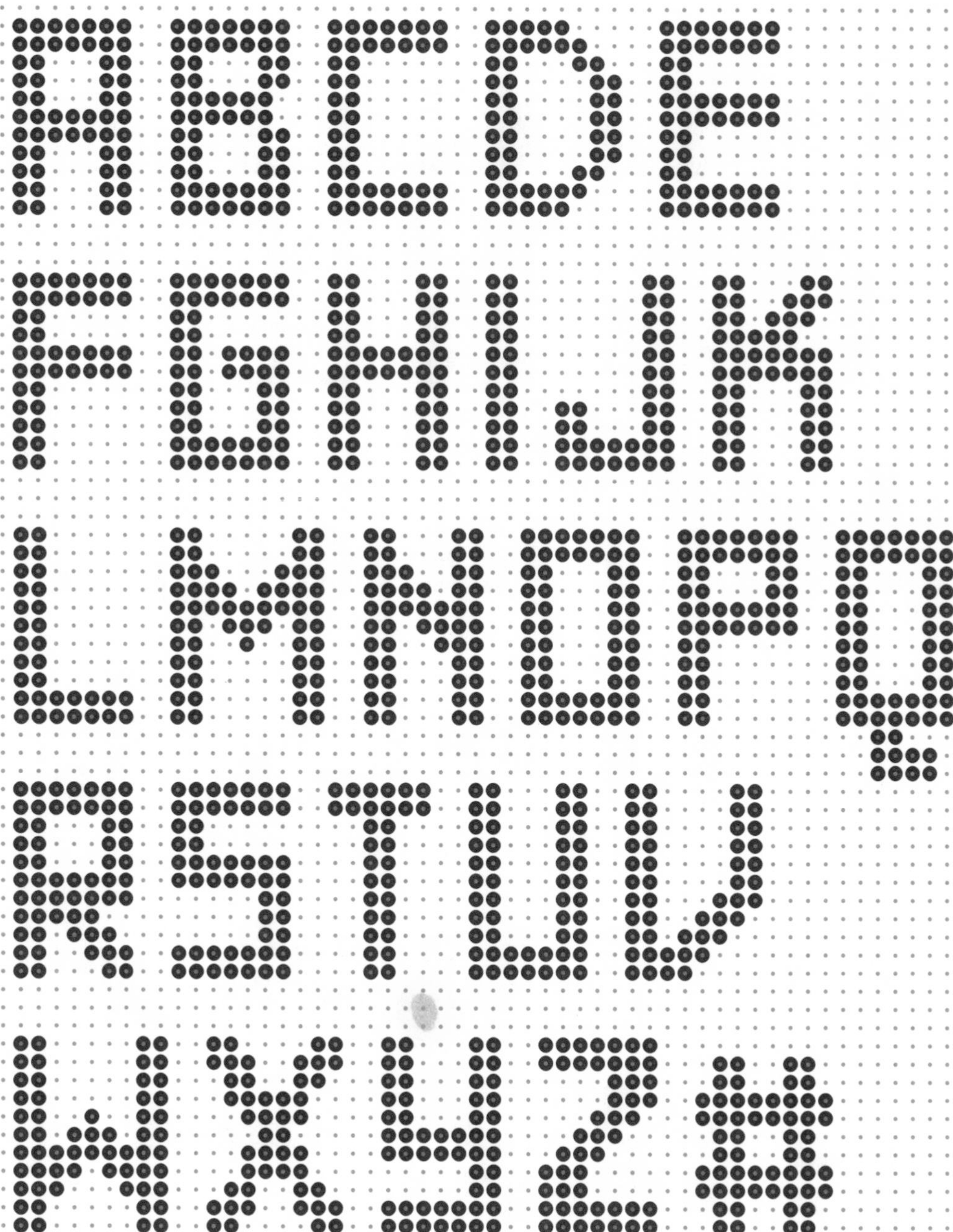

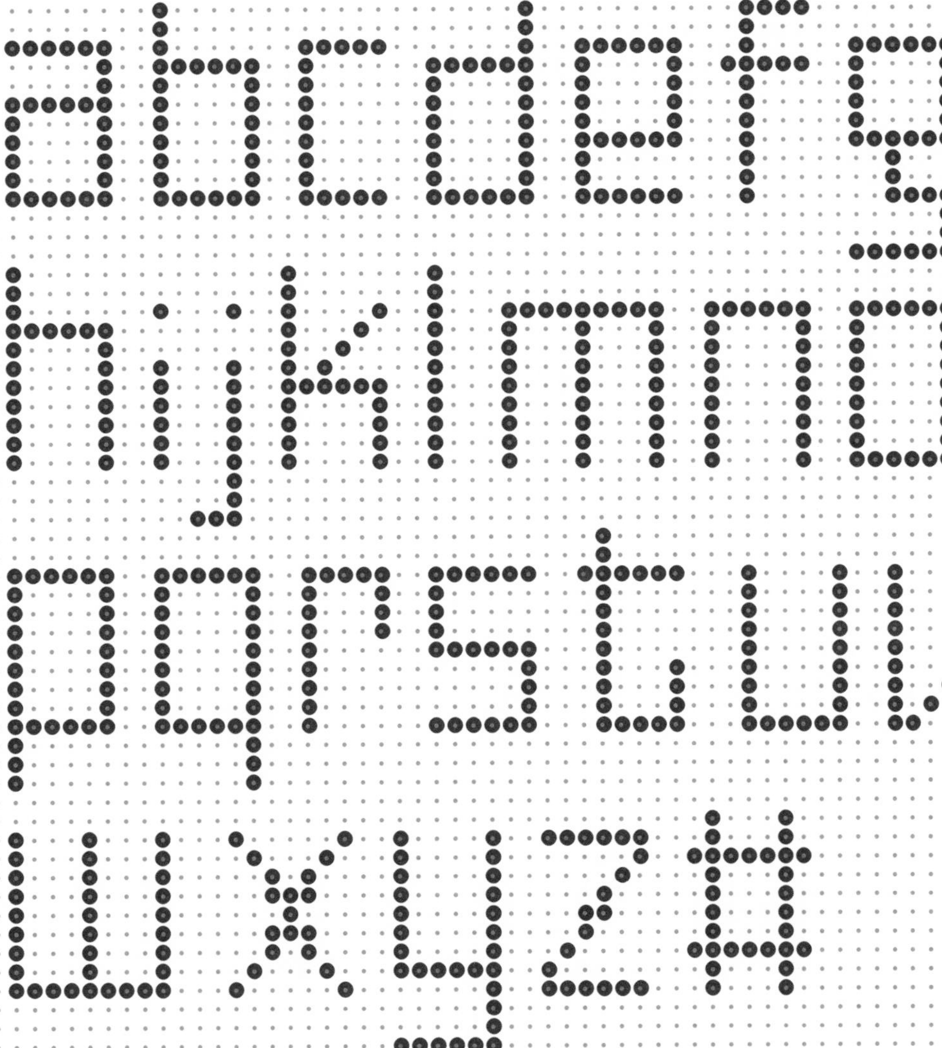
abcdefg
hijklmno
pqrstuv
wxyzä

abcde

fghijk

lmnop

qrstuv

wxyz#

DOT MATRIX TWO NARROW DESIGN: CORNEL WINDLIN, STEPHAN MÜLLER LINETO

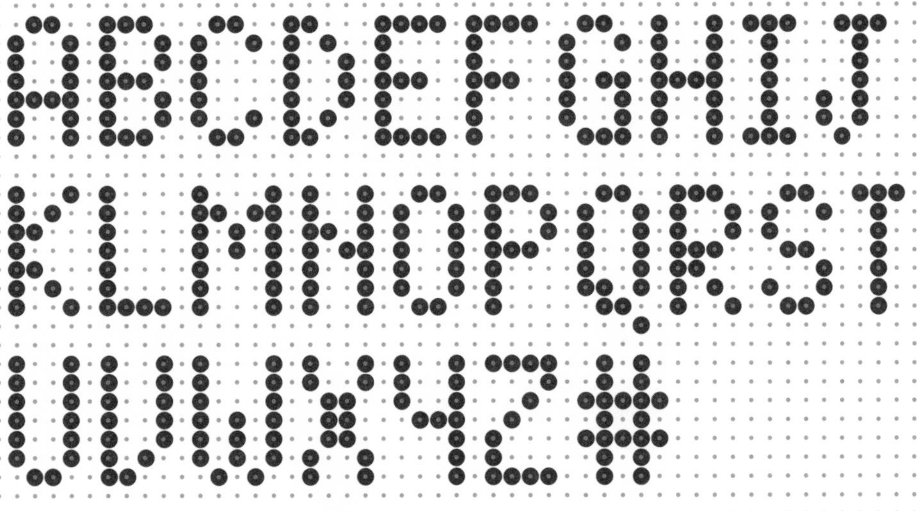

DOT MATRIX TWO EXTENDED DESIGN: CORNEL WINDLIN, STEPHAN MÜLLER LINETO

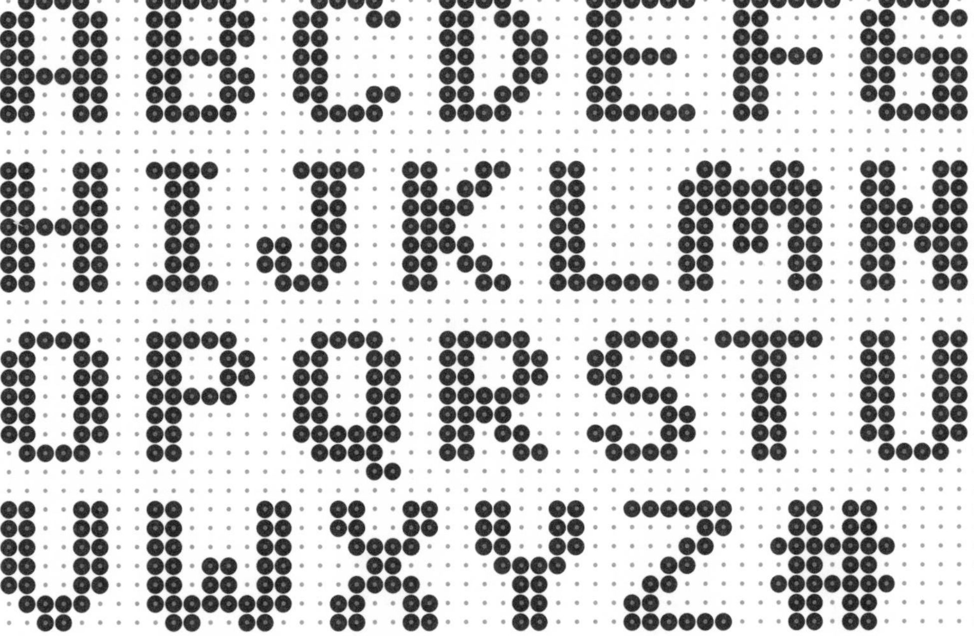

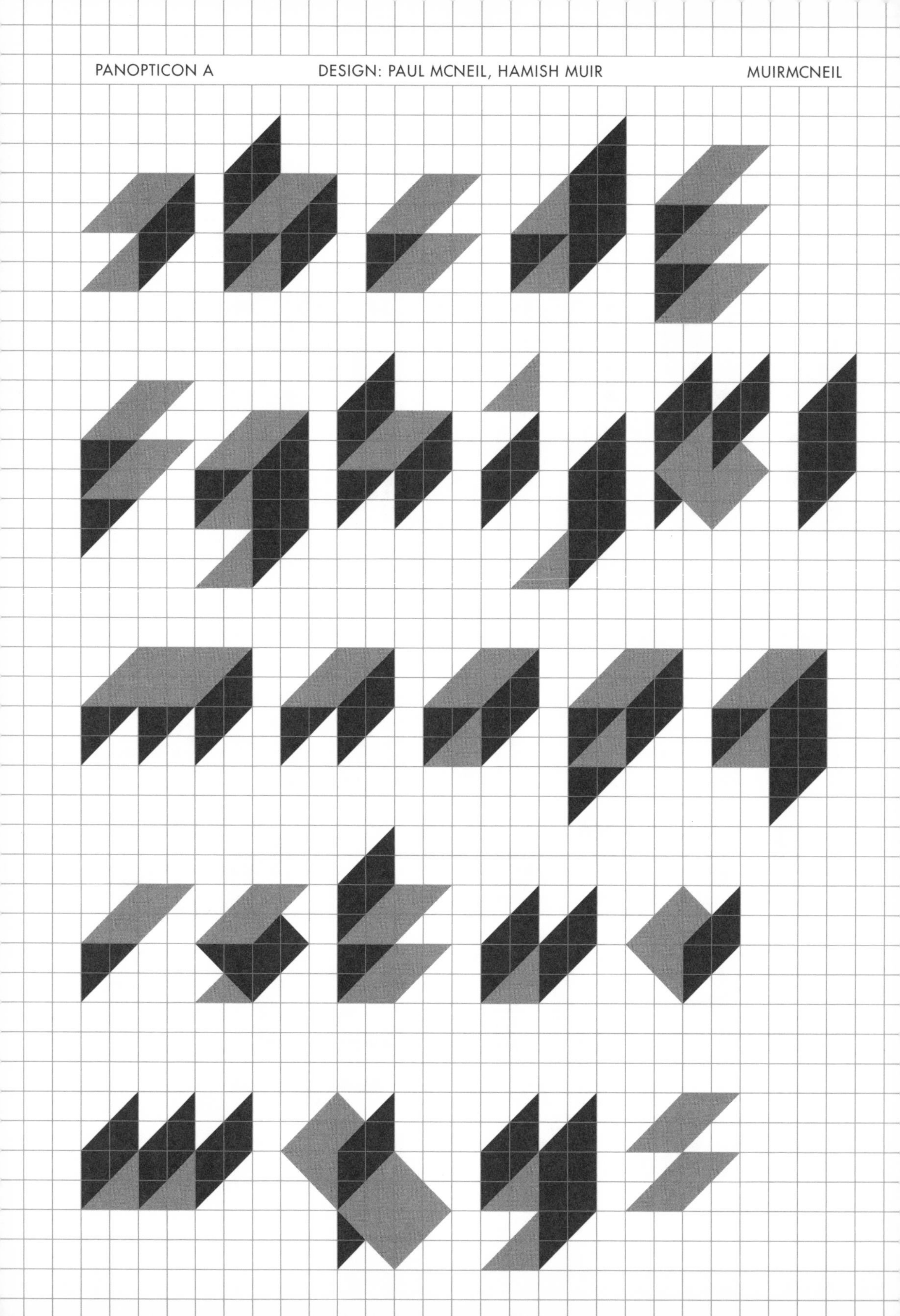

PANOPTICON A
DESIGN: PAUL MCNEIL, HAMISH MUIR
MUIRMCNEIL

RASTERVORLAGEN

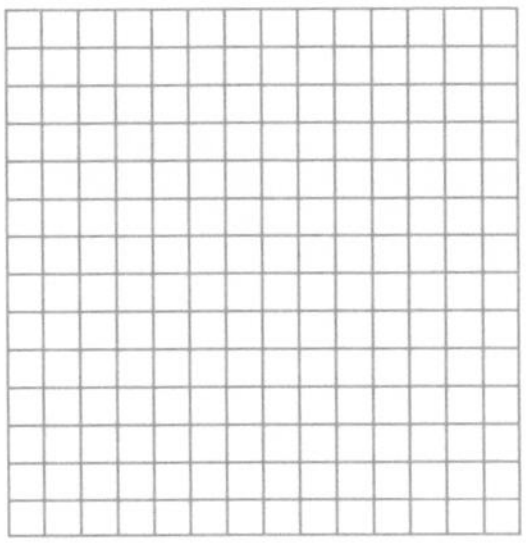

Pixel 1:1

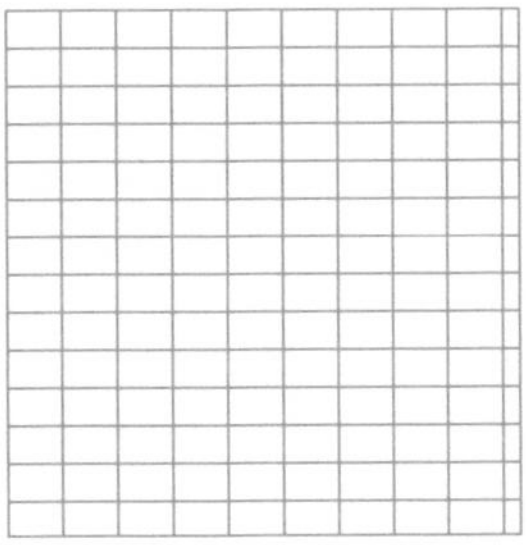

Pixel 2:3

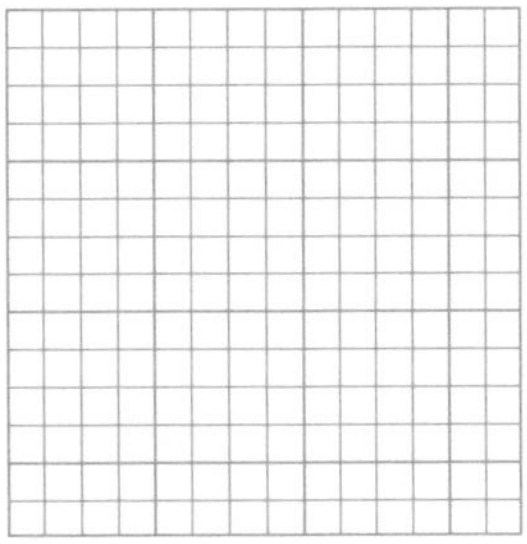

Pixel 1:1 Unterteilung 4 × 4

Pattern 1 Hebemasche

Pattern 2 Hebemaschen

Pattern 3 Hebemaschen

Pattern 1 Hebemasche versetzt

Pattern 2 Hebemaschen versetzt

Pattern 3 Hebemaschen versetzt

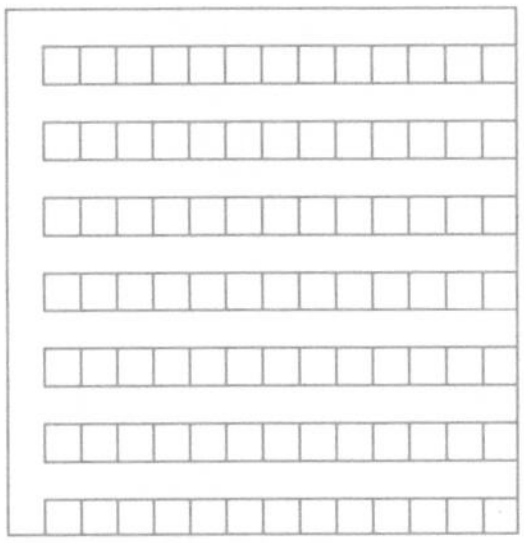

Pattern Diagonal Stripe

Patch

Maschenbild

Alle Mustervorlagen finden Sie auf typeknitting.net.

LINKS & ADRESSEN

TYPE FOUNDRIES & STUDIOS

Binger Laucke Siebein
www.binger-laucke-siebein.com

Bold Monday
www.boldmonday.com

Emigre
www.emigre.com

Kreative Korporation
www.kreativekorp.com/software/fonts

Lineto
www.lineto.com

MuirMcNeil
www.muirmcneil.com

Nouvelle Noire
www.nouvellenoire.ch

Parachute Typefoundry
www.parachutefonts.com

Christian Schmalohr Design
www.schmalohrdesign.de

Typecuts
www.typecuts.com

Typotheque
www.typotheque.com

Matthew Welch
www.squaregear.net/fonts

Walking Chair Design Studio
www.walking-chair.com

SCHRIFTSAMMLUNGEN

Fontstand – try fonts for free or rent them
www.fontstand.com

MyFonts
www.myfonts.com

Typography in bits
www.damieng.com/blog/tag/pixel-fonts

FONT TOOLS

Bitfontmaker 2
www.pentacom.jp/pentacom/
bitfontmaker2

FontStruct
www.fontstruct.com

Metaflop – Font Modulator
www.metaflop.com

Prototypo – Custom Font Generator
www.prototypo.io

RASTER & PATTERN TOOLS

Free Online Graph Paper
www.incompetech.com/graphpaper

KnitPro 2.0 – Pattern Translator
www.microrevolt.org/knitPro

Knitting Graph Paper
theknittingsite.com/knitting-graph-paper

Knitter's Graph Paper
sweaterscapes.com/land-chart-paper.htm

Generators and Online Calculators
www.unikatissima.de/e/?page_id=10716

STRICKNETZWERK

Ravelry – a knit and crochet community
www.ravelry.com

STRICKBLOGS

Alpis Strickbuch
www.alpistrickbuch.blogspot.com

LanArta – Michaela Renz
www.lanarta.de

WockenSolle – Cornelie Müller-Gödecke
www.wockensolle.de

Liane-Stitch – Liane Schommertz
www.ls-liane-stitch.de

STRICKVORLAGEN

Butzeria – Double Face Knitting
Meret Bützberger
www.butzeria.ch

Hello Yarn – Knitting Patterns
Adrian Bizilia
www.helloyarn.com

Woolly Thoughts – Illusion Knitting
Pat Ashforth & Steve Plummer
www.woollythoughts.com

Illusion Love Cushion
www.ravelry.com/patterns/library/illusion-love-cushion

Jessica Tromp – Norwegian Knitting
www.jessica-tromp.nl/norwegian knittingknitwearnorse.htm

STRICKTUTORIALS

Basic & advanced knitting techniques
www.weareknitters.com/learn-knit

Knitaholics – Videotutorials mit eliZZZa
www.knitaholics.net

Patches stricken – Tanja Steinbach
https://youtu.be/CUppCcyRTEk

Patchwork stricken – Marisa Nöldeke
www.makerist.de/courses/patchwork-stricken

Illusion Knitting / Schattenstricken
www.garnstudio.com/video.php?id=990
www.youtube.com/watch?v=hgxBzrBYV2Q
www.illusionknitting.woollythoughts.com/videotutorials.html

BÜCHER

Verena Kuni, »Ha3k3ln + Strıck3en für Geeks«, O'Reilly 2013

Liane Schommertz, »Patchworkstricken nach Horst Schulz«, Stroppel 2009

Horst Schulz, »Das neue Stricken«, »Das neue Stricken – Kindermode« Augustus Verlag, 1997 (vergriffen)

KURSE PATCHWORKSTRICKEN

Wollke 7, Berlin
www.wollke7-berlin.de

Holz und Wolle, Berlin
www.holzundwolle.de

DANK

Für die Entwicklung und Realisierung dieses Buchs haben viele Leute etwas beigetragen. Ich danke ganz herzlich:

Dem Verlag Hermann Schmidt für eine sehr inspirierende Zusammenarbeit – Karin und Bertram Schmidt-Friderichs, Lisa Bartelmeß, Lina Himpel, Sandra Mulitze, Brigitte Raab, Clara Scheffler, Jutta Schober.

Linda Suter für die schönen Fotos.

Allen Strickprofis – Christel Artz, Evi Balzar, Veronika Beckh, Meret Bützberger, Francisca Carrion Navas, Valentina Devine, Maja Enderlin, Monika Faul, Kerstin Hering, Martina Hoschatt, Sari Järvinen, Renate Korpus, Jane Lataille, Astrid Mania, Margrith Maurer-Fedier, Rosetta Meyer, Cornelia Mindner, Hisae Mizutani, Michaela Renz, Frauke Riecke, Eveline Riefer-Rucht, Saiko Ryusui, Irene Schlömer, Horst Schulz, Therese Strand, Sunshine Wong, #Conceptual Knitting Circle, #Knitting in Los Alamos.

Allen Type-Designern – Philippe Apeloig, Rebecca Bettencourt, Peter Bilak, Daniel Binger, Gustavo Ferreira, Dirk Laucke, Zuzana Licko, Flore Levrouw, Paul McNeil, Max Miedinger, Stephan Müller, Hamish Muir, Shiva Nallaperumal, Karl Nawrot, Radim Pesko, Fidel Peugeot, Christian Schmalohr, Johanna Siebein, Anton Studer, Andrea Tinnes, Leonard Tramiel, Pieter van Rosmalen, Clovis Vallois, Rudy Vanderlans, Panos Vassiliou, Cornel Windlin, Klasse Schrift & Typografie Burg Giebichenstein Kunsthochschule Halle.

Meiner Familie, besonders meiner Frau Irene für die Geduld und Unterstützung an allen Ecken und Enden.

Eva Afuhs, Clara Åhlvik, Michael Ammann, Joshua Brägger, Otto von Busch, Ramón Bill, Heike Ebner, Sabine Fabo, Mònica Gaspar, Eva Grimmer, Maike Hamacher, Kerstin Hering, Florian Jakober, Christoffer Joergensen, Garth Johnson, Kasimir, Miriam Koban, Petr Kozusnik, Katja Läuppi, Jan Lindenberg, Yoshito Maeoka, Stefan Mau, Milan, Nestor, Naoko Ogawa, Martin Rohr, Deborah Rozenblum, Rosemarie Schaltegger, Cornelia Schmidt-Bleek, Ben Schmücking, Liane Schommertz, Gaby & Wilhelm Schürmann, Ines Schulz, Chandima Soysa, Michael Stevenson, Jaroslav Toussaint, Tanja Trampe, Imke Volkers, Saskia von Virág, Anna Wehrli, Bürogemeinschaft Manessestrasse.

Den Ausstellungs- / Workshopstationen – Museum Bellerive, Zürich / Burg Giebichenstein Kunsthochschule Halle / Garanti Galeri, Istanbul / Institut für Kunst im Kontext, UdK Berlin / Jönköping County Museum / Röhsska Design Museum, Göteborg / Schürmann Berlin / Social Kitchen, Kyoto / Temporäre Kunsthalle, Berlin / Wäscherei, Kunstverein Zürich.

Den Sponsoren – Für die Bereitstellung großartiger Materialien und Werkzeuge. Garne für Prototypen und Objekte: Lang Yarns / www.langyarns.com, Stricknadeln für Workshops: Addi Stricknadeln / www.addi.de.

Foto: Dominik Fricker

AUTOR

Rüdiger Schlömer kombiniert beim *Typeknitting* seine Interessen und Erfahrungen als Gestalter, Kurator und Ausstellungsvermittler.

Er ist in Paris und Bremen aufgewachsen, hat in Aachen *Visuelle Kommunikation* und in Berlin *Art in Context* studiert und arbeitet seit vielen Jahren in den Bereichen Buchgestaltung, Ausstellungsgrafik, Experience Design und Signaletik.

Mit dem Fokus auf visuelle Konzeption und Prozessgestaltung arbeitete er für Museen, Firmen und Gestaltungsbüros, unter anderem für das Jüdische Museum Berlin, das Militärhistorischen Museum Dresden, das Verkehrshaus der Schweiz Luzern und das Werkbundarchiv – Museum der Dinge Berlin.

Mit seinen eigeninitiierten Projekten erforscht er kommunikative Formate und para-digitale Prinzipien wie Hacking oder Reverse Engineering in den Bereichen Textil, Notation und Interface. Er gab Workshops an Kunsthochschulen und Museen in Japan, Mexiko, Norwegen, Schweden, Schweiz und der Türkei.

Seine Arbeiten erschienen in Publikationen wie Kunstforum International, I.D., Form sowie Spex und erhielten Preise wie den ZKM Medienkunstpreis »Interaktiv«, zusammen mit Michael Janoschek, den Iconic Award und den Red Dot Award.

Rüdiger Schlömer lebt und arbeitet in Zürich.

www.rudigerschlomer.com

IMPRESSUM

Konzept & Gestaltung: Rüdiger Schlömer
Studiofotos: Linda Suter / www.lindasuter.ch
Prozessfotos: M. Enderlin (S. 185), F. Levrouw (S. 53), M. Renz (S. 184), J. Toussaint (S. 28/29)
Stricken Covermotiv: Cornelia Mindner
Lektorat Stricktechnik: Michaela Renz
Korrektorat Text: Katja Kempin
Lithografie: DZA, Altenburg
Verwendete Schriften: Nexus Serif, Futura LT
Papier: 115 g/m² Fly 02 creme
Gesamtherstellung: Beltz, Bad Langensalza

Bezugsquelle LANGYARNS:
Schweiz: LANG & CO. AG, Mühlehofstrasse 9, CH-6260 Reiden / *Deutschland:* LANG GARN & WOLLE GMBH, Puellenweg 20, D-41352 Korschenbroich / www.langyarns.com

verlag hermann schmidt
Gonsenheimer Straße 56
55126 Mainz
Tel. 0 61 31 / 50 60 0
Fax 0 61 31 / 50 60 80
info@verlag-hermann-schmidt.de
www.verlag-hermann-schmidt.de
facebook: Verlag Hermann Schmidt
twitter / instagram: VerlagHSchmidt

ISBN 978-3-87439-905-0
Printed in Germany with Love.

WIR ÜBERNEHMEN VERANTWORTUNG

Nicht nur für Inhalt und Gestaltung, sondern auch für die Herstellung.

Das Papier für dieses Buch stammt aus sozial, wirtschaftlich und ökologisch nachhaltig bewirtschafteten Wäldern und entspricht deshalb den Standards der Kategorie »FSC Mix«.

Die Druckerei ist FSC- und PEFC-zertifiziert. FSC (Forest Stewardship Council) und PEFC (Programme for the Endorsement of Forest Certification Schemes) sind Organisationen, die sich weltweit für eine umweltgerechte, sozialverträgliche und ökonomisch tragfähige Nutzung der Wälder einsetzen, Standards für nachhaltige Waldwirtschaft sichern und regelmäßig deren Einhaltung überprüfen.

»Die Zukunft sollte man nicht vorhersehen wollen, sondern möglich machen.«
Antoine de Saint-Exupéry

BÜCHER HABEN FESTE PREISE!

In Deutschland hat der Gesetzgeber zum Schutz der kulturellen Vielfalt und eines flächendeckenden Buchhandelsangebotes ein Gesetz zur Buchpreisbindung erlassen. Damit haben Sie die Garantie, dass Sie dieses und andere Bücher überall zum selben Preis bekommen: Bei Ihrem engagierten Buchhändler vor Ort, im Internet, beim Verlag. Sie haben die Wahl. Und die Sicherheit. Und ein Buchhandelsangebot, um das uns viele Länder beneiden.

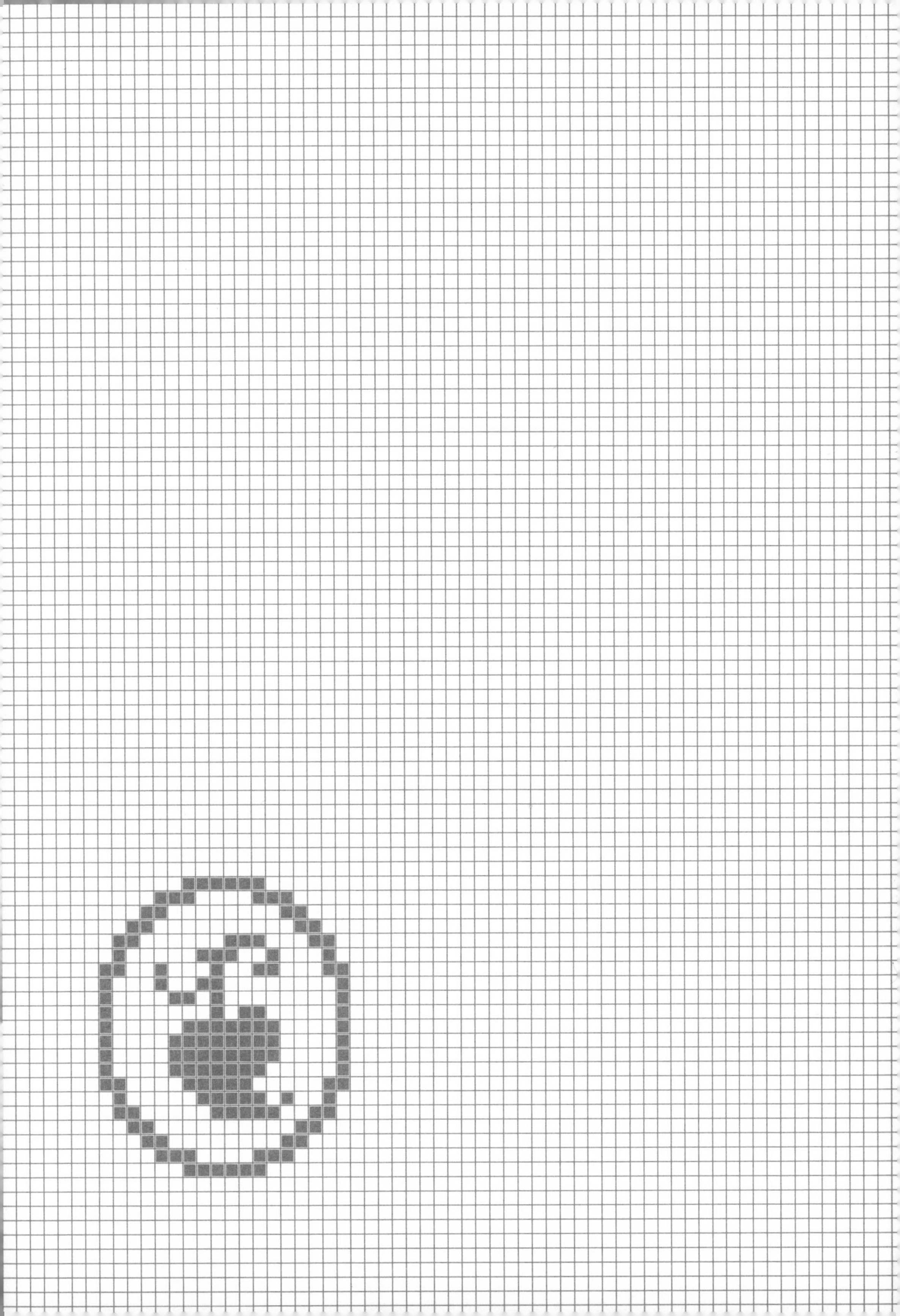